Claudio Lorenese detto Raffaelle de Paesi~

Nato del 1596, e morto nel 1658:

MARCEL ROTHLISBERGER

CLAUDE LORRAIN
L'ALBUM WILDENSTEIN

LES BEAUX-ARTS, ÉDITION D'ÉTUDES ET DE DOCUMENTS
PARIS 1962

L'édition de ce livre a été limitée à six cents exemplaires numérotés de 1 à 600
Exemplaire numéro

48

Imprimé spécialement pour

Monsieur E. A. EVANS, jr.

Introduction

L'album qui fait l'objet de la présente publication a été découvert récemment; il contient soixante dessins du grand paysagiste Claude Gellée, dit le Lorrain. Né en Lorraine en 1600, l'artiste vécut depuis l'âge d'homme à Rome où il mourut en 1682. Cet album, qui appartient à M. Georges Wildenstein, constitue dans le domaine de l'art l'une des découvertes les plus remarquables de notre époque. La majeure partie des soixante dessins qu'il contient sont de la plus haute qualité: ce sont des œuvres d'une grande beauté et d'une extrême rareté. Ces dessins, qui n'ont jamais été exposés à la lumière, ont une fraîcheur sans équivalent parmi les autres dessins connus de Claude. L'ensemble qui nous occupe est, parmi les albums de dessins de Claude (exception faite du Liber Veritatis), le seul qui soit resté intact. Il contient des œuvres exécutées par Claude à toutes les époques de sa vie, des dessins d'après nature, des compositions et des sujets variés. Le groupe de quinze dessins de figures, très poussés, constitue un type d'œuvre pratiquement inconnu jusqu'à présent. Trois dessins de la première époque éclairent d'un jour intéressant et nouveau les débuts de l'artiste; notre connaissance de son art se trouve grandement enrichie grâce à cet album. Bref, nous avons ici la plus belle anthologie de l'œuvre de Claude, qui apparaît encore davantage comme l'un des plus grands dessinateurs de tous les temps.

Le Volume. Examinons d'abord l'aspect extérieur de l'album. Il s'agit d'un volume italien, à reliure rigide, le dos arrondi, recouvert entièrement de parchemin et mesurant 41 × 29 cm. Le dos porte l'inscription à la plume «Disegni di Claudio Lorenese». Il contient 72 pages blanches au filigrane de fleur de lys dans un cercle. Ce filigrane, très répandu autrefois, ne permet pas d'établir une datation certaine. Les trois premières pages ne sont pas illustrées. Un portrait tient lieu de titre: c'est le frontispice de la présente publication. Soixante dessins sont ensuite collés sur le recto de chaque page blanche, le bas étant placé du côté de la reliure. Il n'y a ni index ni texte. L'unique pagination est moderne.

Ainsi, l'album se compose de feuilles isolées; il n'a donc pas été un livre ou un cahier à dessins à l'origine. Il existe un exemple d'album original précisément dans l'œuvre de Claude lui-même: le «Liber Veritatis» du British Museum. Il s'agit là d'un livre composé de deux cents dessins exécutés par le peintre dans l'ordre chronologique comme copies de ses tableaux; dès le 18ᵉ siècle, cependant, ces dessins ont été fixés sur des montures. D'autre part, nous avons un exemple d'album composé a posteriori avec le volume de dessins de Grimaldi, qui se trouve dans le même musée. Dans l'album Wildenstein, chaque dessin est fixé sur les pages blanches avec de la colle aux quatre coins et au milieu de chaque côté. On observe parfois ces marques de colle sur le recto des dessins. Beaucoup de feuilles de Claude au British Museum portent les mêmes marques; ce type de montage en album était en usage autrefois. Au verso de plusieurs dessins, Claude a ajouté une signature, une date, une inscription ou un calque par transparence. Dans la plupart des cas, il est possible de voir et de déchiffrer le verso, mais il se peut qu'un ou deux dessins portent une date invisible qu'on trouverait si on les détachait. Seul le verso du dernier dessin, le n° 60, a pu être photographié et reproduit. Le dessin le plus important de ceux qu'il n'a pas été possible de photographier est le verso du n° 33. Trois parmi les dessins des versos sont des études de nus (voir le n° 49).

Les Œuvres. L'album contient 24 dessins faits d'après nature, dont deux études de détails (bœufs, un arbre), 14 dessins de compositions sans rapport avec des tableaux, 14 dessins de figures dont la plupart ont été repris dans des tableaux et 8 compositions préliminaires pour des tableaux. Quinze feuilles portent une date située entre 1633 et 1677. Claude ayant rarement daté ses dessins dans sa jeunesse, il n'est pas surprenant que onze de ces dates soient postérieures à 1660. D'autres dessins peuvent être datés exactement grâce aux tableaux qui s'y rapportent. Si on classe les œuvres chronologiquement, un feuillet date des années 20; deux des années 30; 8 autres sont environ de 1640; 20 sont des années 40; 8 des années 50, 15 des années 60 et 6 enfin des années 70. Comme ces groupes ne peuvent pas toujours être isolés nettement les uns des autres, les chiffres qui précèdent sont nécessairement approximatifs. En revanche, il est certain que les dessins se répartissent assez également sur toutes les périodes de la vie de Claude, avec peut-être quelques uns de plus dans les années 40. Le nombre considérable des dessins d'après nature des années 40, la rareté des compositions pour les premières années et des études de paysages dans la dernière époque – il n'y en a que six, toutes des années 60 – correspondent à la production générale de Claude. Le papier et les dimensions varient avec chaque feuillet. Claude utilisait normalement du papier de format standard comme des toiles de dimensions traditionnelles. C'est la raison pour laquelle beaucoup de dessins ont les mêmes dimensions. En fait, la plupart mesurent environ 210×310 mm, c'est-à-dire 8 sur 12 pouces. Ce format est relativement grand pour Claude, si on fait la comparaison avec les centaines d'études qu'il a exécutées. Dix feuillets sont un peu plus petits, environ 150×210 mm, c'est-à-dire 6×8 pouces; trois, au contraire, sont très grands: les n°s 35, 45 et – le plus grand de tous – le n° 54. La plupart des dessins ont une bordure à la plume, au lavis ou au crayon, assez large sur certaines feuilles. C'est Claude qui a dessiné ces bordures; il a toujours eu l'habitude d'encadrer d'une bordure ses dessins les plus élaborés. Ses cadres des études de paysages sont tracés à la main, ceux des compositions à la règle. Dans la plupart des autres collections, ces encadrements ont en général été coupés lors d'anciens montages. Deux dessins sont sur papier bleu, trois autres sur papier blanc coloré en jaune, trois autres encore sur fond coloré en rouge, un enfin est sur fond brun. Trois dessins sont en hauteur. Cinq autres, placés vers la fin du volume, portent le chiffre et le paraphe par lesquels Claude avait désigné les feuilles d'un album qu'il devait avoir réuni lui-même et qui se composait d'études de paysages faites aux environs de 1640 (voir le n° 41). L'ordre des feuilles dans l'album Wildenstein est arbitraire. Des dessins d'après nature, des compositions, différentes techniques et des périodes variées sont entremêlés. Le principe de classement – s'il existe – semble avoir été le désir de donner l'impression de la plus grande variété possible. D'après leur style, les dessins se présentent en gros dans l'ordre chronologique suivant: N°s 33, 36, 12, 7, le groupe 41, 52, 59, 53, 57, ensuite 42, 38, 31,

30, 49, 34, 51, 21, 27, 48, 25, 6, 58, 40, 56, 46, 35, 16, 24, 4, 5, 15, 13, 3, 19, 47, 55, 60, 14, 11, 9, 39, 18, 23, 32, 44, 22, 37, 45, 10, 2, 17, 43, 8, 20, 29, 54, 1, 50, 26, 28.

La présente publication reproduit tous les dessins selon l'ordre de l'album et avec des couleurs aussi fidèles que possible. Pour des raisons techniques, il a fallu reproduire la majorité des dessins dans une seule dimension – en général un peu au-dessous de la grandeur originale; les dix dessins plus petits sont imprimés dans la dimension des originaux, c'est-à-dire dans un format légèrement moins grand que les autres planches.

Les débuts. Passons en revue les groupes les plus importants de l'album, en commençant par les débuts de Claude. Seules trois pages appartiennent à cette période: elles diffèrent beaucoup les unes des autres. Jusqu'à présent, nous ne connaissions aucune œuvre datant des années de formation de Claude lors de son séjour chez Tassi à Rome ou de son passage plus court et moins décisif chez Goffredi à Naples, puis chez Deruet à Nancy. Le dessin de navires nº 33 est la première œuvre qui constitue un document certain sur ses débuts chez Tassi dans les années 20. Le verso présente un dessin qui marque l'influence directe de Deruet. Avec la vue de ruines, nº 36, au début des années 30, Claude a pleinement trouvé son style. Plus que tout autre, ce dessin révèle l'imitation de la manière de Breenbergh, contemporain de Claude, dont l'influence sur sa technique de dessin apparaît avec évidence et semble plus importante qu'on ne l'avait imaginée. L'étude d'arbres nº 12, datée de 1633, est le premier exemple de la pleine maîtrise de Claude. La qualité artistique de ces deux dessins dépasse de beaucoup celle des autres dessins de jeunesse de Claude connus à ce jour.

Dessins d'après nature. Les œuvres de Claude les plus brillantes et les plus spontanées, celles qui sont encore aujourd'hui les plus actuelles, sont sans doute ses dessins d'après nature. Ils forment le groupe le plus important, allant des études secondaires d'arbres et d'animaux à des compositions plus complexes et jusqu'aux très grands dessins d'une qualité merveilleuse contenus dans le présent album. Le fait que Claude ait observé sans relâche la nature explique la touche si vivante et si vraie de ses tableaux. L'étude de la nature n'avait pas pour lui le sens d'un simple travail préparatoire en vue d'une peinture et le dessin exécuté en plein air n'a le plus souvent rien à voir avec la composition du tableau. Tandis que les dessins d'après nature, même les plus stylisés, ne représentent jamais qu'un site ou un sujet pariculier, les tableaux de Claude constituent toujours une synthèse et visent au-delà de la simple représentation d'un espace donné à une signification plus générale, à un sentiment de l'éternité, à une profonde spiritualité. Des centaines d'études d'après nature qu'il a exécutées, il n'a utilisé qu'une demi-douzaine au plus dans ses tableaux. Beaucoup de dessins d'après nature sont par ailleurs, sans avoir pour autant moins de spontanéité, des œuvres indépendantes et complètes. Ces qualités sont caractéristiques en particulier des dessins d'après nature contenus dans cet album. Quelques-uns ne sont, semble-t-il, pas composés du tout, ainsi les nᵒˢ 21, 40. D'autres plus nombreux qui paraissent à première vue le fruit du hasard et de la spontanéité, révèlent un sens rigoureux de la construction, tels les nᵒˢ 38, 57. Pour d'autres encore, il est malaisé de dire s'il s'agit d'études d'après nature ou de véritables compositions, par exemple les nᵒˢ 24, 35.

Quelques principes stylistiques sont à souligner. La plupart des dessins – prenons par exemple le nᵒ 57 – sont construits d'une manière presque invisible, mais avec autorité sur deux plans bien séparés avec un espace plutôt étroit et fermé. Parfois il y a une zone moyenne entre le premier plan et l'arrière-plan. Les masses grandes et peu nombreuses, sont disposées par larges contrastes de volume en zones sombres, ombragées et illuminées; des accents d'un côté ou des deux côtés encadrent la composition et un grand motif au premier plan, souvent en diagonal, constitue comme une opposition. Le tout premier plan est fait de très larges à plats avec peu ou pas de détails. Souvent il y a d'un côté de lentes transitions, des grandes silhouettes au premier plan et des formes plus petites dans le lointain ainsi qu'une lente gradation dans les tons et les valeurs, tandis que de l'autre côté le contraste est extrême entre le premier et l'arrière-plan, autant pour l'échelle des objets représentés que pour les couleurs (par exemple le n° 56).

Un autre facteur d'unité picturale réside dans la simplicité et l'aspect compact des formes. Le paysage est en général stylisé selon les formes géométriques élémentaires, des silhouettes régulières, des diagonales; des rochers sont évoqués par un unique à plat, les feuillages sont représentés par des masses uniformes. Cette pureté de la forme – qui caractérise l'art de Claude et le distingue du paysage hollandais de l'époque – peut avoir été favorisé à la fois par les particularités de la campagne romaine et par la lumière intense des régions méridionales, mais elle est due surtout à la recherche constante du style.

Le troisième élément d'unité est la technique. Claude utilise chaque technique avec une pureté et une économie magistrales, et la porte à la plus haute perfection. Certains dessins sont exécutés uniquement au lavis brun avec parfois du crayon noir; d'autres à la plume et au lavis brun, ou simplement au crayon noir; d'autres encore à la plume ou au crayon noir, lavé de gris. Quelle que soit la technique, Claude respecte strictement la délimitation des formes. Cette particularité apparaît dans ses dessins les plus beaux – les dessins entièrement au lavis exécutés entre 1640 et 1650, tels que les n⁰ˢ 38 ou 57. Comme dans une véritable aquarelle, chaque coup de pinceau, court ou long, donne de l'accent en surface sans modifier le modelé. L'image est constituée par un assemblage abstrait de formes de diverses grandeurs. Dans les dessins entièrement à la plume, il n'y a point de transcription des détails. Une œuvre telle que le n° 42, est étonnamment dépourvue de détails. L'excellente conservation de l'album permet de voir et de saisir ces qualités dans toute leur ampleur.

Les dessins d'après nature relativement peu nombreux des dernières années de la vie de Claude sont d'un caractère plus inhabituel et aussi d'une qualité plus inégale que ceux de la première époque. Les techniques préférées de Claude sont alors la plume seule ou le crayon noir, assez pâle, lavé d'un gris léger. Le brio technique est alors souvent moindre, mais la subtilité dans l'observation du paysage reste la même. Les dessins d'après nature de la vieillesse réunis dans cet album sont parmi les plus beaux du genre (n⁰ˢ 8, 17, 44 et d'autres).

Compositions. Si, dans l'ensemble, ses dessins d'après nature nous émeuvent plus directement, Claude semble avoir consacré beaucoup plus de temps à ses dessins de compositions. Pour la plupart de ceux-ci, une exécution minutieuse à la plume a réclamé une attention soutenue. Claude en a répété beaucoup. Cela n'est pas le cas même pour les plus beaux des dessins d'après nature. Tous les dessins dédicacés – il y en a une quinzaine – sont des compositions, et, contrairement aux études d'après nature, nombre de compositions sont de grandes dimensions.

Les compositions ont été dessinées comme esquisses pour des tableaux, dont elles ont la structure spatiale complexe et la solide construction. Certains de ces projets n'ont jamais été réalisés sur toile, d'autres ont été peints, plus ou moins modifiés. Les dessins, transposés ou non par la suite en peinture, n'offrent évidemment aucune différence entre eux. Quelques-uns, tel le n° 30, sont des ébauches, des premières pensées avec, assez fréquemment, la mise au carreau, d'autres sont d'une exécution plus aboutie. La plume lavée de brun est la technique la plus fréquente. Tous les dessins de l'album exécutés directement en vue d'un tableau sont parmi les plus exceptionnels et les plus intéressants du genre: les n°ˢ 14, 34, 45, 2 et 26 sont les études préliminaires les plus originales pour quelques-uns des tableaux majeurs de Claude, dont la genèse se trouve ainsi bien mieux connue. Le n° 48 au crayon noir et lavis de gris, semble, à première vue, un dessin d'après nature; le n° 20 est une vue perspective sans équivalent; le n° 60 une première pensée d'une inspiration épique exceptionnelle.

Les dessins-tableaux. Quelques paysages d'après nature et aussi quelques compositions ont un aspect particulièrement fini et ont été visiblement exécutés pour eux-mêmes. Pendant la vieillesse de Claude, ce genre devient courant et certains dessins se présentent en quelque sorte comme des tableaux d'un format plus petit. Nous les intitulons «dessins-tableaux». Ces œuvres se distinguent par une exécution toujours plus travaillée, des proportions intérieures accordées aux dimensions réduites d'un dessin, un espace étroit, une composition qui remplit toute la surface et ne se retrouve dans aucune peinture. Les n°ˢ 1, 9, 22, 47 font partie de cette catégorie. De même, le n° 6 où l'on reconnaît l'influence du Dominiquin, appartient à ce groupe, ainsi que certains dessins de figures.

Les dessins de figures. La plus grande révélation de l'album est constituée par l'ensemble des quatorze dessins de figures très aboutis. On sait que la prétendue incapacité de Claude à peindre des figures ne peut plus être l'objet que de discussions purement académiques. Les figures qu'il a peintes lors de sa maturité sont d'une haute qualité d'exécution, d'un style classique et recherché. Claude copia à certaines occasions dans des dessins et d'après ses tableaux de jeunesse ses groupes de figures peintes les plus élaborés; nous connaissions beaucoup de petits croquis de figures et des études de détails pour des figures; le grand dessin pour David et Saul d'Haarlem montre comment il préparait ses groupes de figures. Mais aucun dessin comparable aux riches figures de l'album Wildenstein n'était connu jusqu'à présent. La beauté de cet ensemble de dessins exécutés de 1645 à 1677 donne une signification nouvelle à ses figures. Ces dessins sont des images complètes, avec de grandes figures et un étroit encadrement de paysage. Ceci est vrai aussi des dessins de figures qui sont des études préparatoires pour un tableau (par exemple les n°ˢ 11 et 25). Ils ont été vraisemblablement exécutés comme maquettes à un stade avancé de l'exécution du tableau, quand le paysage était terminé, et que Claude en venait à l'exécution des figures, qu'il a toujours peintes en dernier. Quelques-uns de ces dessins sont des œuvres indépendantes: Les n°ˢ 10, 16, 18. Le très grand n° 54 fait dans un but de clarification iconographique est unique. Trois des groupes de figures se rapportant à un tableau ont un aspect particulièrement fini et pourraient ainsi être des copies par Claude d'après ses tableaux terminés et non des études préparatoires. Nous savons que Claude a reproduit chacun de ses tableaux dans les deux cents pages du «Liber Veritatis» et qu'il a, en outre, dessiné 50 autres reproductions de ses propres tableaux et dessins.

9

Origine. Après cette brève description analytique, il nous reste à dire quelques mots sur l'histoire de cet album. Voici l'origine telle que nous la connaissons, uniquement selon une tradition : L'album a fait partie de la grande et célèbre collection de la Reine Christine de Suède, qui vécut à Rome de 1655 jusqu'à sa mort en 1689. Mais si l'on dispose de beaucoup de documents sur sa collection de tableaux, nous ne savons rien des dessins qu'elle posséda. Ceux-ci ont peut-être été simplement négligés à cause de l'importance des tableaux. Ce qui surprend davantage, c'est qu'on ignore tout des rapports de la Reine et de ses conseillers intimes avec Claude. Etant donné la répugnance, marquée plusieurs fois par l'artiste au cours des dernières années de sa vie, à vendre même un petit nombre de dessins, il est peu probable que la Reine ait possédé cet ensemble du vivant de Claude. Il n'est pas exclu cependant qu'elle ait pu acquérir des héritiers immédiats après la mort de l'artiste une grande partie des dessins de Claude. Elle légua ses trésors au Cardinal Decio Azzolini qui mourut deux mois après elle. Les biens du Cardinal passèrent à sa famille et c'est d'elle que don Livio Odescalchi (1652–1713), duc de Bracciano, acheta l'album. Livio, neveu du Pape Odescalchi Innocent XI (1676–89), fut l'un des personnages les plus puissants dans le monde politique, dans la haute société et parmi les amateurs d'art. Les Odescalchi ont sans doute possédé bien d'autres dessins de Claude, dont tous furent peut-être acquis par Livio. En 1791, le Duc de Bracciano en vendit environ 70 à Pieter Teyler. Ces dessins se trouvent actuellement au musée Teyler à Haarlem et selon une tradition, leur origine remonte à la Reine Christine. En 1957, huit dessins sont apparus sur le marché à Londres. Provenant de la famille Odescalchi, ils ne sont comparables, comme qualité, qu'à ceux du présent album (Georges Wildenstein, Sir Robert Abdy, la Bibliothèque Morgan et le musée de Stockholm en possèdent chacun un, Hans Calmann et le Comte Seilern deux). En 1957 également, 64 petits croquis représentant pour la plupart des bovidés ont été vendus aux enchères à Londres. On indiqua ensuite qu'ils provenaient de la famille Odescalchi. Après Livio, qui fut également le fondateur de la branche hongroise de la famille et posséda deux duchés en Hongrie et en Slavonie, l'album resta dans la famille jusqu'en 1845, puis il figura dans une collection polonaise jusqu'en 1939, enfin dans une collection suisse jusqu'en 1960. Il fut alors acquis par Georges Wildenstein.

Qu'il me soit permis d'ajouter ici un mot sur le propriétaire actuel de l'album. Malgré sa curiosité sans limite et ses goûts très éclectiques de collectionneur, Georges Wildenstein a toujours éprouvé une inclination toute particulière pour l'art de Claude. Sa collection privée comprend un nombre considérable de dessins de Claude qui ornent ses appartements. Il a acquis plusieurs de ces dessins il y a une cinquantaine d'années, à une époque où le maître était généralement peu estimé. La collection contient non seulement le plus grand des dessins de Claude – un superbe paysage côtier avec des temples antiques daté de 1666 et mesurant 860 mm de large – mais aussi des œuvres exceptionnelles comme les sept scènes de la vie de saint Jean, ou encore Minerve et les Muses, de 1676. J'ai eu le privilège de parler de quelques-uns de ces dessins dans des études antérieures. L'admiration et l'intérêt profonds de Georges Wildenstein pour Claude se sont manifestés encore dans la constance avec laquelle il a recueilli pendant des années une documentation sur cet artiste et par les études qu'il a publiés dans la Gazette des Beaux-Arts. Par ailleurs, beaucoup des tableaux les plus importants de Claude qui ont changé de main au cours des dernières années ont été ou sont encore sa propriété.

Les albums de Claude. L'artiste qui ne put garder pour lui aucun de ses chefs-d'œuvre peints, semble avoir été un collectionneur acharné de ses propres dessins et les avoir pratiquement tous conservés. Son inventaire après décès de 1682 mentionne « 12 livres d'études », le « Liber Veritatis » avec ses 195 pages, et une cassette (50 × 100 × 25 cm) « pleine de gravures et de dessins, dont des grands, des petits, des bons, des mauvais ». Son biographe, Baldinucci, qui connut Claude personnellement, rapporte que « cinq ou six grands livres de ses dessins de paysages d'après nature restèrent entre les mains de ses héritiers, et aussi quelques paquets de feuillets détachés ». (Ses héritiers étaient une fille et deux neveux qui se partagèrent sa maison.) Telles sont les seules informations dont nous disposons sur les albums de Claude. Les témoignages conjugés de l'inventaire de 1682 et de Baldinucci établissent d'une façon certaine que les « 12 livres d'études » sont bien de Claude. Seuls deux de ces livres peuvent être reconstitués avec des feuillets – à présent détachés – grâce à leur numérotation par Claude lui-même (voir le n° 41). Ils apparaissent comme des albums composés au plus de 70 dessins d'après nature, tous du même type et de la même dimension, datant environ de 1640. Il est évident que les dix autres recueils ne sont pas tous perdus. Ils ont sans doute contenu la plupart des dessins connus de nos jours, dont le nombre est voisin de mille, et parmi lesquels seuls quelques-uns peuvent avoir été rassemblés à cause de leurs dimensions, de leurs sujets et de leurs dates, dans des albums comparables à ceux qui sont numérotés. Au moins une partie des dix livres étaient des albums composés de feuillets isolés.

L'album présenté ici ne peut pas, comme tel, dater d'avant l'année 1677, date du dessin exécuté en dernier (n° 28). Il est possible, cependant, que Claude ait fait le choix des œuvres au cours de ses cinq dernières années. Etant donné son aversion bien connue à vendre ses dessins, on ne peut guère imaginer que Claude ait choisi ces dessins pour les vendre lui-même. Mais on peut supposer, d'autre part, que l'artiste a été prévoyant, et qu'en s'occupant de sa succession il a fait un choix en vue d'une vente posthume ou d'un cadeau à faire à l'un de ses héritiers. Dans cette hypothèse, il ne se serait pas limité à une seule catégorie de dessins, comme il l'a fait dans les albums numérotés, mais aurait plutôt réuni un ensemble représentant ses différents styles et les différentes phases de son œuvre. En dépit des différences de types et de dates, les dessins de cet album ont ceci en commun que pratiquement chaque œuvre est une des plus belles, sinon la plus extraordinaire, dans son genre. Claude a peut-être même démonté, à cette occasion, son album numéroté. Il est donc fort possible que notre album soit précisément un des 12 livres qui existaient à la mort de l'artiste. Il est moins vraisemblable que l'aspect actuel de l'album reflète la volonté de Claude (à supposer même que la page de titre, avec ses dates inexactes, et la reliure qui sont toutes deux de la fin du 17e siècle soient des additions postérieures). L'absence d'un classement logique semble contraire à son esprit méthodique. Dans les deux cas où il existe deux études pour un seul tableau, ces deux pages sont séparées dans l'album (voir les n°s 14, 2). Claude aurait-il vraiment collé le dessin 33, comme il l'est aujourd'hui, en couvrant ainsi un dessin poussé qui se trouve au revers? Ces indices donneraient à penser que les dessins ont été montés pour former l'album actuel peu après la mort de Claude, soit par ses héritiers avant 1689, date de la mort de Christine, soit par Christine ou par les Odescalchi après l'acquisition en bloc des dessins.

Nous ne savons que peu de choses sur ce que sont devenus les dessins de Claude immédiatement

Catalogue

Nous nous référons fréquemment à *Marcel Röthlisberger, Claude Lorrain, Yale University Press,* 2 volumes, 1961 (abrégé R.). Certains des dessins du présent album ont en outre fait l'objet de commentaires de l'auteur parus dans les publications énumérées ci-après: Critica d'Arte 47, septembre–octobre 1961, 16 ss. (CA), L'Œil, juin 1961, 54 ss., Zeitschrift für Kunstgeschichte 1961, 163 ss. (ZKG), Gazette des Beaux-Arts 1962, 153 ss. (GBA).

Nous nous référons également aux catalogues suivants de dessins de Claude: par Scholten pour le Musée Teyler à Haarlem, 1904 (T.), Demonts pour le Louvre, 1923 (D.), Hind pour le British Museum, 1925 (H.). Les tableaux sont cités selon leur numéro dans le «Liber Veritatis».

PORTRAIT DE CLAUDE *(Frontispice)*

Crayon noir, oval 310×230 mm. L'inscription italienne se traduit «Claude Lorrain dit Raphaël des paysages, né en 1596, mort en 1678».

Ce portrait, dû à un dessinateur inconnu, forme la page de titre de l'album. Il a été exécuté lors de la confection du volume, directement sur une page de l'album, et il n'est pas collé comme les dessins de Claude. Les portraits de ce genre, le plus souvent de forme ovale, n'étaient pas rares dans les albums anciens contenant des œuvres d'un artiste. Dans son âge mûr, Claude copia lui-même son portrait peint par Sandrart, pour en faire le frontispice de son «Liber Veritatis». Les deux seuls autres portraits anciens connus de Claude sont des peintures. Le dessin de l'album correspond pour le visage exactement à la toile de Tours (R. fig. 4) et doit donc être une copie de ce tableau dont la provenance reste incertaine ou, plus probablement, avoir été exécuté d'après une source commune. Les traits de la physionomie et l'aspect de la chevelure sont légèrement adoucis; les attributs du peintre ont été ajoutés en bas. Le style et l'inscription paraissent être de la fin du 17e siècle. Quoique Claude ait été connu de son temps comme «Claudio dei paesi», l'emphatique surnom du titre ne se trouve nulle part ailleurs. Les dates de naissance et de mort sont chacune antérieures de quatre ans aux dates véritables (peut-être parce que le dernier dessin de l'album est daté de 1677), ce qui indiquerait une date légèrement postérieure à la mort de l'artiste, mais antérieure à la publication des biographies de Baldinucci en 1728, où la vie de Claude se trouve décrite.

1 PAYSAGE AVEC LA MADELEINE

Plume, lavis brun, un peu de gris autour de la figure, rehauts de blanc, 182 × 144 mm avec l'encadrement de Claude. Inscription en bas à gauche « Claudio IVF / Roma 1675 ». La Madeleine se tourne vers deux anges qui apparaissent dans un nuage à gauche.

Au début de l'album se trouve un dessin-tableau assez petit de la dernière époque de Claude. Il s'agit là d'une composition limitée à un premier plan et une ouverture sur les lointains. La scène étroite, l'exécution minutieuse et le sujet religieux – l'un des plus populaires au 17e siècle – sont caractéristiques d'un dessin-tableau exécuté pour lui-même, à la demande d'un amateur. Antérieurement, Claude avait déjà traité le même thème dans un tableau et quatre dessins (dont l'un – H. 210 – copié directement d'après un dessin d'Annibal Carrache conservé au Louvre). La composition du dessin de cet album n'était pas nouvelle pour Claude : elle répète, en sens inverse, une étude moins complète, aujourd'hui à Londres (H. 299) qui peut être datée de 1670 et qui servit de travail préparatoire pour un dessin conservé au Louvre, daté de 1670 et qui correspond à l'esquisse de Londres, sauf l'addition d'un arc de rochers légèrement indiqué par Claude après coup sur l'esquisse préliminaire, et de nouveau omis dans la répétition de l'album Wildenstein, postérieure de cinq ans aux dessins de Londres et du Louvre. Le dessin du Louvre, sur papier bleu de dimensions semblables au nôtre est exécuté encore plus minutieusement. Il semble que Claude ait conservé l'esquisse. Des dessins de même caractère sont le St Jean (n° 29) et la Tentation du Christ, très détaillé, de 1676 (H. 305). Litt. R. 482.

2 PAYSAGE (JACOB AU PUITS)

Esquisse au crayon, plume, lavis brun foncé, 154 × 282 mm avec l'encadrement. Date : environ 1665.

Cette superbe page est un des dessins de composition les plus extraordinaires de Claude. Au-dessous des arbres apparaît un puits auprès duquel se trouvent deux femmes debout et des tropeaux. Un homme est en train de déplacer le couvercle du puits. Ce motif est commun à ce dessin et au tableau de Claude repré-

sentant Jacob, Rachel et Lia au puits conservé au Musée de l'Ermitage et peint en 1666 (L.V. 169). Ce dessin est la plus belle et la plus originale des études préparatoires du tableau de Léningrad. Le style confirme la date proposée. La composition a les proportions intérieures d'un tableau mais elle diffère de la version finale : l'espace est plus étroit ; le groupe d'arbres central plus grand et plus majestueux ; sur le pourtour du paysage, on ne voit ni le pont, ni le temple que Claude a ajoutés de l'un et de l'autre côté du tableau, et la conception de l'ensemble est plus sobre. Ce dessin qui est plus en longueur et plus différent du tableau que les autres études, est probablement un premier projet. Deux autres dessins – à Melbourne et à Capetowm – sont datés du 28 mars 1665. Les chiffres sur le bord inférieur droit sont de simples indications de dimensions (les chiffres sont répétés au verso commençant en bas par zéro et allant de 1 à 10). Toujours soucieux de calculer les proportions de ses tableaux, Claude a peut-être marqué les dimensions prévues (et diminuées par la suite), qui correspondent à celles de deux tableaux précédents (L.V. 162 et 167). Les seuls autres dessins qui portent de telles marques sont le n° 34 et les trois études pour le L.V. 146, dont deux font partie de cet album, les n°s 11 et 14. Le n° 43 est une étude de figures pour le tableau de Jacob au puits.

3 PAYSAGE AVEC LA FUITE EN EGYPTE

Plume, lavis jaune-brun, la Vierge rehaussée, 189 × 257 mm. La feuille est coupée en forme d'octogone. Date : 1650/5.

Ce dessin, une étude d'aspect inhabituel pour une composition a la profondeur et les proportions d'un petit tableau. La Fuite en Egypte a été tout au long de la vie de Claude un de ses sujets favoris. La forme ovale, qui n'apparaît dans la peinture que pour quelques tableaux sur cuivre de la première époque, est rare aussi parmi les dessins. La composition ne se retrouve dans aucune autre œuvre, mais elle est comparable à deux petits tableaux ovales – le Repos pendant la fuite de 1646, sur cuivre, à Williamstown, et le St Jean de Lord Methuen, de 1647, sur étain. Il est donc possible qu'en exécutant ce dessin, Claude ait songé à un autre petit cuivre. Il est difficile d'en établir la date exacte, mais la technique vigoureuse et lumineuse le place entre 1650 et 1655.

4 PAYSAGE

Plume avec une touche de lavis brun au centre, 175 × 252 mm avec la ligne d'encadrement. Au verso deux études géométriques, tracées librement à la plume, celle du bas avec l'inscription «secanto». Date: peu avant 1650.

Ce dessin, probablement exécuté d'après nature en Campanie, est un exemple remarquable de la représentation objective et précise d'un paysage uniquement à la plume. L'écriture ne change guère d'un plan à l'autre. Les plans sont clairement différenciés avec un premier plan vide encadré de buissons et d'arbres, un second plan, puis des montagnes au loin. Au centre, une vaste cascade dont la source est à peine visible à droite. Claude s'est abstenu d'introduire une apparence de composition au premier plan. La vision claire, la maturité de la composition de même que l'exécution suggèrent une date voisine de l'année 1650. Cette opinion se fonde également sur la similitude avec des œuvres telles que la «Vista del Sasso», de 1649, à Rotterdam, et le nº 40 du présent album. La technique minutieuse de la plume est à rapprocher des dessins de paysage de l'école du Titien et des Bolognais.

5 PAYSAGE PRES DE TIVOLI

Crayon noir pour la partie supérieure seulement, plume pour la partie inférieure et le cadre, touches profondes et légères de lavis brun, 200 × 264 mm. Inscription au verso, en bas à gauche, «faict Claud 1651 Tivoli.»

Ce dessin est une des vues panoramiques les plus étonnantes de Claude. La perspective de collines dans le lointain forme contraste avec un premier plan foncé, dominé par l'audacieuse opposition des deux chasseurs armés de fusils. Les lignes à la plume dans les figures et dans les buissons s'entremêlent avec le lavis léger, appliqué sur toute cette partie du dessin. L'effet d'ensemble, simple et puissant, est unique parmi les dessins de Claude, mais il évoque le coucher du soleil dans des tons dorés, aussi inhabituel et caractéristique, de la dernière vue de Tivoli que Claude ait peinte – le tableau de 1645 conservé à Windsor (L.V. 89). Quant au paysage représenté ici, je ne le situe pas exactement, malgré l'inscription «Tivoli». Il s'agit probablement des collines Tibur-tines, avec Rome invisible à gauche. Mais dans le paysage, derrière les têtes des deux personnages, apparaît distinctement un lac (l'à-plat blanc au-dessus semble représenter la brume sur une vallée). Je ne connais pas de lac aux environs de Tivoli; le lac Albano, plus au sud, est différent.

6 PAYSAGE

Papier brunâtre, 207 × 292 mm. Crayon noir, lavis brun, le ciel rehaussé. Une ligne d'encadrement à gauche et en haut. Date: vers 1645.

Le fond coloré, la mise en page soignée et le pittoresque effet de lumière dans le ciel, confèrent à cette œuvre exceptionnelle le caractère d'un dessin de composition élaboré. En dehors du premier plan, laissé inachevé, le dessin a les proportions intérieures et la richesse d'un tableau, bien qu'il ne soit semblable à aucun des tableaux connus. On peut le rapprocher de plusieurs paysages avec des scènes pastorales datant de 1645 environ, L.V. 93, 95, 103, 110. Cette date est confirmée par la technique. Le caractère extraordinaire de ce dessin réside dans la solidité de sa construction que révèlent à la fois les verticales et les horizontales des arbres et des rochers à droite. Comparé au dessin plus suave des pastorales de la première époque, la présente étude fait apparaître une nouvelle conception de la grandeur. Au fur et à mesure que l'art de Claude s'est développé, que son style est devenu plus héroïque autour de 1645, ses compositions subissent l'influence du paysage bolonais – continuateur de la tradition du Titien – et, en particulier, du Dominiquin, dont il a copié entièrement certaines œuvres. Des motifs tels que la cascade à droite et le style des édifices font apparaître ce dessin comme l'un des plus caractéristiques de cette tendance. Cette œuvre fait aussi penser à la lunette Aldobrandini avec la Fuite en Egypte, des Carrache.

7 PAYSAGE

Plume, lavis brun intense, sur une esquisse au crayon noir, 202 × 270 mm. Date: vers 1640.

Nous connaissons un nombre considérable de dessins semblables de 1640 environ représentant des paysages solidement composés et d'une exécution soigneuse à la plume et au lavis. Le présent dessin est un des plus beaux du genre. On peut se demander s'il s'agit d'une esquisse faite sur le motif, ou d'un travail d'atelier. J'estime, toutefois, que le dessin a été exécuté en plein air, mais que Claude a d'emblée modifié le paysage pour en faire un dessin composé. On distingue successivement une opposition d'ombre en bas à gauche, deux plans formés d'arbres à droite et la vue perspective. La zone centrale droite, encadrée de passages sombres, reçoit une forte lumière. Cette suite dynamique de plans forme un contraste avec les verticales des troncs d'arbres et les horizontales des eaux. La disposition judicieuse, l'espace étroit et l'exécution soignée du dessin en font une œuvre indépendante. Ce dessin ne correspond à aucun tableau, mais peut être rapproché du n° 49, dont la composition est plus proche de la complexité d'un tableau.

8 PAYSAGE

Crayon noir, léger lavis gris, 173×249 mm avec le cadre. Inscription en bas à gauche: «Claud. faict» et en dessous: «La Gafarella 1667».

Pendant les dernières années de la vie de Claude, les dessins d'après nature deviennent assez rares, mais il en exécute encore. Cet album contient quelques-uns des plus beaux paysages d'après nature de la dernière période. Le présent dessin ainsi que le n° 39 sont exécutés au crayon gris pâle, légèrement lavé de gris. L'exécution n'a plus l'exubérance des débuts; les contrastes violents de lumière disparaissent; mais le sentiment de la nature reste aussi sensible. Dans cette page, la gradation des plans est particulièrement délicate. Bien que dessinée d'après nature, cette œuvre se rapproche d'un dessin de composition avec son premier plan orné d'animaux et un arbre au bord à droite. La ferme au centre doit être le «Casale della Caffarella» situé à deux km de la Porte S. Sebastiano, entre la Voie Appienne et la Voie Latine; le marais du même nom apparaît en bas à gauche. On observe la différence de style en comparant ce dessin à une œuvre de jeunesse, par exemple au n° 5, qui représente un paysage très semblable.

9 PAYSAGE

Papier blanc, coloré en rose, 183×266 mm. Crayon noir, lavis brun, rehaussé, avec encadrement à la plume. Date: vers 1660.

Claude fit usage de fonds roses et d'autres couleurs pour des dessins spécialement beaux. On le vérifie en particulier pour les deux pages roses et les autres pages de couleurs de cet album. Ce dessin exquis unit l'intimité d'une scène pastorale à la grandeur d'une œuvre classique. De plus, son unité stylistique est due à la technique et à la construction en surfaces parallèles. Les formes sont rendues d'une façon presque abstraite, sans détails. Les plantes en bas montrent l'exécution assez lourde que l'on retrouve parfois dans les années 50 (par exemple au n° 60). La présence d'une divinité de forêt ou de rivière, placée dans le centre en bas, juste en-dessous des grands arbres, donne au dessin une ambiance aussi contemplative que classique. Cette page est une œuvre autonome; il ne s'agit ni d'une composition ordinaire, ni d'une étude d'après nature. Les caractéristiques de ce genre sont l'espace étroit et fermé, l'exécution poussée et la composition soigneusement équilibrée. Un parallèle stylistique peut être proposé avec le paysage avec Diane et Callisto, conservé à Chatsworth d'une date légèrement postérieure (n° 945, L.V. III, 90).

10 HOMMAGE A CERES

Plume, lavis gris-brun, rehaussé, 150×208 mm avec l'encadrement. Inscription au centre du verso «Claudio Gellee inventor / fecit Romae 1663».

Les quinze dessins de figures très élaborés sont la révélation la plus extraordinaire de l'album. Le dessin qui nous occupe est le premier dans l'ordre de l'album, mais non par sa date. Aucun autre dessin de figures aussi richement orné n'est connu à ce jour. Il représente un sujet unique pour Claude, mais commun dans l'iconographie baroque. Cérès couronnée de blé par des amours, s'appuie mollement sur le bras de son trône. A gauche, se trouve son char que tire la paire traditionnelle de dragons. Symbole de l'abondance de l'été, la scène est emplie de jeunes filles, de serviteurs occupés à porter des gerbes de blé; un amour tient le baldaquin. La richesse de l'œuvre se manifeste aussi par sa technique avec ses rehauts de blanc appliqués à profusion sur la feuille entière. La composition se développe dans un espace limité, terminé en haut par un arbre sombre. Tout ceci montre qu'il s'agit d'une œuvre indépendante. Le sujet peut être rapproché d'autres thèmes classiques des années 60, tels que la

Danse des saisons, ou le Sacrifice à Apollon L.V. 157. Litt. R. dans CA 1961, 23, et dans GBA 1962, 160.

11 ESTHER

Plume, lavis brun, rehaussé, 172 × 232 mm avec l'encadrement intérieur. Inscription dans la marge gauche «palma 4», en bas «tela imperatore palma 6» (recouvert par un rehaut de blanc) et «ESTER». La marge inférieure est divisée dans toute sa largeur en six parties égales. Signé au centre du verso «Claudio Gillee / inventore fecit / Roma 1659».

Cet impressionnant dessin d'Esther, qui s'approche avec sa suite du palais d'Assuérus, est une étude définitive pour le groupe principal de figures du plus grand tableau de Claude, que lui-même considéra comme son chef-d'œuvre (L.V. 146; de ce tableau, seul le tiers à gauche, conservé à Holkham, a échappé à un incendie). Le n° 14 de cet album est une étude pour la composition entière. Les détails des figures diffèrent encore de la version définitive ou l'on voit, par exemple, un seul héraut, et deux chiens. En raison du sujet, le style a une noblesse et une force que l'on ne trouve guère dans d'autres dessins de figures exécutés plus minutieusement. Lorsque Claude exécuta ce dessin, il devait déjà avoir peint le paysage et le château qui entourent les figures. La mention de 4 sur 6 «palmi», ce qui correspond au format impérial (environ 95 × 135 cm), se rapporte à la surface que ces figures occupaient dans le tableau. La ligne verticale au centre coincide avec l'axe central du tableau. Litt. R. 348, et dans CA 1961, 22.

12 ARBRES

Plume, lavis brun, 248 × 190/4 mm. Une ligne d'encadrement à gauche; inscription au verso «Claude / fecit Roma 1633».

Ce dessin n'est pas seulement une des études d'arbres les plus exquises de Claude, mais aussi un document pour la connaissance de la première période de sa vie. L'extrème sensibilité de la plume, la vivacité du jeu de lumière dans le feuillage, l'aplat de lavis foncé en bas, tout cela témoigne de la maîtrise à laquelle Claude avait déjà atteint en 1633 et qu'il montra dans d'innombrables dessins d'arbres tout au long de son existence. L'écriture délicate et frisée de la plume, de même que les touches sèches et plates de lavis dans le feuillage, sont des éléments que l'on observe aussi sur d'autres dessins de sa première période. Mais la date peut surprendre. Un seul dessin – qui est une composition – est daté de trois ans plus tôt (1630), et uniquement deux autres études d'après nature sont datées d'avant 1640. En dépit du fait qu'un nombre considérable d'œuvres peuvent être datées des années trente grâce à des preuves documentaires, notre connaissance des débuts de Claude reste très incertaine. Les œuvres de 1630 à 35 montrent en effet des tendances stylistiques très diverses et une technique parfois irrégulière; en un mot, la personnalité artistique de Claude ne s'est pas alors encore affirmée. Par contre, le style de cette œuvre est entièrement personnel, il n'est une imitation ni de Bril, ni de Breenbergh, ni encore d'autres maîtres. La date de bon nombre d'œuvres devra donc être revue (par exemple H. 46 et D. 24).

13 LES PELERINS D'EMMAÜS

Papier blanc coloré en rose, 158 × 206 mm avec l'encadrement. Crayon noir, lavis brun intense, rehaussé à profusion de blanc et de rose dans les figures. Date: 1652.

Parmi les quelques douzaines de tableaux que nous ne connaissons que par les dessins du Liber Veritatis, les Pelerins d'Emmaüs, n° 125; de 1652, doit avoir été l'un des plus importants, si nous en jugeons par sa composition monumentale. L'existence de deux dessins élaborés pour les figures ne surprendra donc guère. Le premier, qui diffère encore de la version finale, est une feuille inédite, dessinée sur les deux côtés, conservée dans une collection particulière à Paris. L'autre est le dessin décrit ici – un des dessins à figures les plus riches de Claude. Dans les années 50, Claude a plus en plus tendance à illustrer des thèmes bibliques et mythologiques dans un style inspiré par l'antiquité classique. Les trois figures correspondent à celles du Liber Veritatis. En revanche, le décor est adapté aux petites dimensions du dessin: les arbres se retrouvent aussi dans le Liber Veritatis, mais la perspective entière du tableau est ici omise. Dans aucun autre dessin, Claude n'usa de tant de rehauts – un effet qui se rapproche de certaines fresques ou manuscrits antiques. La technique est celle des environs de l'année 1650, mais il est impossible de préciser si le dessin a été exécuté avant ou après le tableau. L'exemple du nº 55 semblerait ne pas exclure l'hypothèse d'une copie, à moins que le dessin n'ait servi de modèle final pour le tableau, quand Claude avait déjà peint le paysage; il aurait ensuite complété le dessin comme une œuvre indépendante. Litt. R. 307.

14 PAYSAGE AVEC ESTHER

Esquisse au crayon noir, plume, lavis jaune-brun, rehauts sur les personnages assis au premier plan, 187 × 260 mm avec l'encadrement. La marge inférieure est divisée en dix pouces. Date: 1658/9.

Cette étude vigoureuse a les proportions intérieures d'un tableau monumental. La complexité de l'agencement avec des portiques des deux côtés, un groupe d'arbres au centre, un grand temple circulaire à droite, une longue distance à gauche, une plate-forme avec plusieurs groupes de figures et des spectateurs assis indique que Claude doit avoir envisagé un très grand tableau. La composition, le style et les figures confirment qu'il s'agit d'un premier projet, modifié ensuite, pour le tableau d'Esther (L.V. 146), qui devait être l'œuvre la plus importante de l'artiste. Le nº 11 de l'album est la maquette définitive des figures. Il est vraisemblable que le personnage principal, entre les arbres, est Esther; un héraut la reçoit devant le palais. Cette première conception est dans une certaine mesure préparée dans la Procession de Delphes (L.V. 119) et dans Cléopâtre (L.V. 63), deux compositions d'ailleurs plus simples et moins puissantes; elle annonce d'autre part les dessins préparatoires de la Vue de Délos (L.V. 179), de la dernière période. La progression vers le tableau, lui-même plus héroïque, peut être suivie grâce à un autre dessin préparatoire du British Museum (H. 265), déjà plus proche de la peinture, et marqué sur les bords 8 sur 12 pouces.

15 UN ARBRE

Etude au crayon noir et à la plume, 160 × 220 mm, l'encadrement à la plume coupé en partie. Décalqué au verso à la plume, avec un peu moins de détails que sur le recto. Date: environ 1650.

Il est peut-être utile de comparer ce dessin avec l'étude d'arbres, nº 12, datée de 1633, afin de mettre en évidence le style particulier de cette œuvre que Claude exécuta probablement d'après nature. Sans représenter un arbre entier, elle forme néanmoins une œuvre indépendante avec un espace isolé. L'exécution intégralement à la plume, sans le lavis du dessin précédent, explique son caractère brillant malgré l'absence de profondeur. Mais avec toute la régularité presque abstraite de la plume, l'illusion du feuillage reste dans la présente étude immédiate et convaincante. La touche est légèrement plus intense dans les lignes parallèles du bas; elle est plus sombre au centre, autour du tronc courbé; elle est plus puissante aussi que dans le dessin antérieur. Le sens de la plastique est, lui aussi, plus prononcé. La date doit être voisine de celle de la feuille nº 4 de cet album. Bien des arbres dans des tableaux de Claude rappellent certains dessins, mais l'artiste n'a presque jamais recopié de telles études directement dans un tableau.

16 DANSE

Crayon noir, lavis brun pour la partie inférieure, lavis gris au dessus, une touche de crayon rouge, 166 × 223 mm. Date: 1645/50.

Le sujet de cette danse campagnarde se retrouve durant toute la vie de Claude dans des tableaux, des dessins (voir le nº 34) et des gravures. Un tableau de la première période, commandé par le Pape Urbain VIII, consacra le succès de l'artiste. Ce dessin ne correspond à aucun autre du même sujet. La grandeur des figures et des animaux, de même que l'absence d'un paysage étendu sont caractéristiques d'un dessin-tableau. Il doit être comparé avec un dessin représentant une scène de danse et qui se trouve au Louvre (D. 44). Légèrement plus grand, ce dernier est exécuté selon une technique semblable (sans lavis); sa composition est également étroite; le dessin porte au verso une dédicace de Claude à Courtois, datée de 1665. Le style des deux dessins n'est cependant pas celui de l'année 1665, dont nous avons ici un exemple avec le nº 43. Grâce à un dessin décrit sous le nº 45, dont la date au recto est antérieure à celle de la dédicace, nous pouvons affirmer que la date de 1665 sur la feuille du Louvre correspond à la dédicace, sans indiquer l'année au cours de laquelle le dessin a été exécuté. Le style de la présente œuvre et celui du dessin du Louvre appartiennent nettement aux années 40. Parmi les peintures, les rapprochements les plus nets sont à découvrir dans les figures d'Apollon au L.V. 92 et de la Femme dansant au Moulin L.V. 113, de 1648, qui sont toutes deux très proches de ce dessin par le style et les poses.

Au verso et en sens inverse, se trouve une étude académique de deux jambes au crayon rouge, dont nous reparlons dans la notice n° 49.

17 PAYSAGE

Esquisse au crayon noir, plume, 158 × 220 mm. Inscription en bas du verso «Claudio Gillee inv fecit / Roma 1666». Un berger est légèrement esquissé au crayon derrière les animaux.

On ne saurait douter de ce que ce dessin ait été fait d'après nature. La touche de la plume est forte et large dans la partie des grandes plantes, le long du bord inférieur. A chaque plan, la touche devient plus légère, et dans le feuillage des arbres elle n'est plus que du pointillé à la fois inhabituel et délicat, qui semble anticiper sur certaines techniques du milieu du 19e siècle. Tous les motifs de ce paysage, à commencer par l'accent principal, le tas de foin au centre, sont rendus par des formes compactes: les plantes, les animaux, la plate-forme au-dessous du foin, les arbres et les collines. La technique de la plume pure, qui favorise la précision et la clarté, apparaît le plus souvent dans les années de 1655 à 1670. La technique seule, jointe à la solidité de la construction, qui remplacent autant la vigueur que le brio de la période précédente, caractérisent également le dessin d'après nature n° 8, apparemment si différent à première vue. On peut mesurer l'ampleur de l'art de Claude quand on compare la présente œuvre avec le n° 2 qui date de la même époque.

18 APOLLON BERGER

Papier blanc coloré en jaune, 149 × 204 mm. Esquisse au crayon noir, plume et encre brune-grise, lavis gris. Date: peu après 1660.

Cette notice ainsi que la suivante concernent des dessins-tableaux qui représentent au premier plan Apollon berger, jouant de la flute, tandis qu'à l'arrière-plan Mercure vole les troupeaux. Ce plaisant mythe inspiré d'Ovide correspond à la prédilection de Claude dans sa jeunesse pour le monde pastoral et à son inclination vers le classicisme qu'il a recherché de

plus en plus à son âge mûr. Dès 1645, il représente plusieurs épisodes de cette histoire – Apollon, le vol des troupeaux, Mercure et Battus, la réconciliation d'Apollon et de Mercure – dans huit tableaux et de nombreux dessins, dont ces deux sont sans conteste les plus beaux. Les deux dessins sont sur fond de couleur, mais ils sont de portée très différente. Le premier n'a de rapport avec aucune des autres œuvres de Claude, le second correspond, pour les figures, au L.V. 128. Le papier teinté, l'exécution soignée et la composition étroite et centrée indiquent que ce dessin est une œuvre indépendante. La date tardive est suggérée aussi bien par les formes claires et compactes que par la touche de la plume, très proche du n° 10 qui date de 1663. Litt. R. 311.

19 APOLLON BERGER

Papier bleu, 196 × 274 mm avec l'encadrement. Lavis gris, plume en bas, lavis brun dans la moitié inférieure, rehaussé de blanc à gauche. Au verso, trois chevrettes au crayon noir avec rehauts de blanc. Date: environ 1654.

Ce brillant dessin, qui représente le même sujet que le numéro précédent, correspond, pour la figure d'Apollon et les troupeaux, au tableau L.V. 128, peint en 1654 pour M. Mielin et brûlé en 1870. Le dessin du Liber Veritatis est lui aussi, sur papier bleu de la même grandeur; l'entourage entier de paysage y est omis. L'effet est produit par l'économie de la technique et par le contraste de la partie inférieure foncée et des figures extrêmement légères, transparentes, qui créent l'illusion de l'espace. Cette œuvre est évidemment un dessin-tableau. Comme type, il peut être comparé à deux autres feuilles des mêmes années, le n° 13 avec les figures du L.V. 125, et un parchemin avec les figures du L.V. 134, appartenant également à M. Georges Wildenstein (R. fig. 324, et «Animal Studies» n° 25). Il n'est cependant pas exclu que les trois dessins aient été exécutés comme modèles définitifs des figures quand ces tableaux étaient sur le point d'être terminés. Litt. R. 311.

20 PAYSAGE AVEC ÉNÉE ET LA SIBYLLE

Esquisse rapide au crayon noir, plume, lavis brun, 193 × 241 mm. Inscription en bas «Roma Claud. IV fecit 1669 / sibilia Comana enea» dans les coins, les quatre points cardinaux «mesedy, ponente, lev.ᵉ tramon(to)», dans l'ovale «ischia isola, isola procida, la citta di cuma», et trois noms illisibles entre les arbres et à droite.

Le tableau important et à présent perdu de même sujet que Claude peignit en 1673 pour Falconieri (L.V. 183), eut un point de départ compliqué avec quatre dessins très élaborés et presque identiques représentant une composition abandonnée par la suite. Tandis que ces dessins et le tableau n'offrent guère d'allusion au site de Cumes, où l'événement eut lieu, Claude rechercha dans ce dessin exceptionnel une reconstruction de la vue sur le golfe de Pozzuoli, apparemment faite à l'aide d'une carte et non pas de mémoire. Après avoir passé deux ans de sa jeunesse à Naples, il n'y retourna vraisemblablement plus jamais. En dépit des inscriptions détaillées, le site ne correspond pas exactement à la réalité: les îles seraient en fait plus à droite, et inversées. La forme ovale, rare, s'explique peut-être par l'effet panoramique d'une ancienne carte. Il semble improbable que Claude ait envisagé le tableau de la même manière que le dessin, puisque les autres études et le tableau ont une composition plus monumentale, mieux adaptée au sujet, tandis que le panorama de cette page peut être rapproché de la Vue de Délos L.V. 179. Litt. R. 431.

21   VUES PANORAMIQUES

Crayon noir, 182 × 263 mm. Date: 1640/5.

Il existe plusieurs dessins de Claude avec deux esquisses panoramiques rapides l'une au-dessus de l'autre, évidemment exécutées à l'occasion d'une de ses fréquentes promenades en Campanie (par exemple Louvre D. 1, 39, verso). Quelques-uns sont à la plume, d'autres au crayon. Avec un minimum de traits, l'artiste crée ici l'illusion d'un vaste espace. Dans l'esquisse inférieure, la zone compacte des bâtiments est dominée au centre par l'église. Elle est suivie plus en arrière par les plans parallèles du lointain, accentués çà et là par les silhouettes des arbres et des édifices dont l'intensité diminue dans le lointain. J'ignore d'où la vue est prise. A droite semblent apparaître successivement un fleuve, un aqueduc, le Colisée, enfin Saint Pierre. Il est difficile d'établir une date précise, mais la technique est celle de l'âge mûr de

Claude. Ce paysage peut être rapproché du dessin au lavis de 1646, avec Saint Pierre au centre (H. 101).

22   PAYSAGE

Plume, lavis brun, 176 × 250 mm avec large encadrement. Date: 1660/5. A gauche se trouvent deux figures: l'une représente une femme, l'autre est indefinissable. Au verso quatre lignes verticales à la plume.

Cette composition dense et soigneusement travaillée date de la dernière époque de Claude. Si des œuvres antérieures telles que le n° 34 reflètent une technique plus spontanée, la composition et l'exécution du présent dessin sont plus intenses. Le dessin n'est pas en rapport direct avec un tableau, mais on peut le rapprocher des tableaux L.V. 163 et 166, vers 1665, en raison de leurs densités semblables. Dans l'album, les analogies stylistiques les plus nettes apparaissent avec les nᵒˢ 2, 9 et 45. Le paysage comprend, dans une succession asymétrique, une plateforme avec de grands arbres au premier plan, un plan moyen avec également des arbres et des montagnes au loin. Le bord droit est marqué par le buisson, la tour, les montagnes et les nuages. La composition compacte et la technique soignée donnent à penser qu'il s'agit d'une œuvre indépendante et non d'une étude pour un tableau.

23   BORD DE MER

Plume, avec une touche de lavis brun, 155 × 217 mm, avec l'encadrement. Inscription au centre du verso «A Roma ce 8 mars 1662.»

Les ports et les bords de mer avec des architectures compliquées furent un genre de prédilection pour Claude pendant la première partie de sa vie et ce genre lui valut sa grande renommée. Après 1650, des tableaux de ce type disparaissent toutefois complètement de sa production et les quelques paysages côtiers des dernières années ne comportent ni de nombreux navires, ni une architecture descriptive, ni même des groupes de figures dans les ports. Ce dessin surprenant est donc assez isolé à l'époque où il a été exécuté. Ce n'est plus un port typique avec des palais et des figures. La scène peut être rapprochée des L.V. 120 et 132, antérieurs d'une dizaine d'années. Le temple à gauche, avec la Fortune sur un globe, se retrouve dans le L.V. 157, auquel Claude doit avoir travaillé au même moment. Des analogies sont aussi à noter, avec un dessin de la même époque, mais d'exécution plus fine, dans la collection Rospigliosi, reproduisant le tableau de Ste Ursule, de 1641, en vue de la gravure que Barrière exécuta en 1665 (R. fig. 120). Etant donné que Claude fit exécuter par Barrière dans le courant des années 60 quatre autres gravures de reproductions de ports et des bords de mer et qu'il en exécuta lui-même deux en 1662, ce dessin est à rapprocher de cette activité. Sa composition précise, bien équilibrée, et son exécution purement à la plume, ce qui est particulièrement fréquent au début des années 60, font certes de ce dessin un modèle très approprié pour une gravure.

24 PAYSAGE

Crayon noir, lavis jaunâtre léger, encadré à la plume, 174×247 mm. Le verso porte une petite esquisse de figure. Date: fin des années 40.

La scène de ce dessin au crayon porte des marques si évidentes de composition qu'il ne peut guère s'agir d'un dessin d'après nature. Le paysage est encadré des deux côtés d'arbres s'élevant sur un sol rocheux. Le premier plan ouvert conduit à travers deux autres plans à une citadelle dominant une colline au centre. Cette disposition donne déjà à ce dessin le caractère monumental des tableaux exécutés vers 1650, dans lesquels des formations rocheuses et des cités de montagne sont fréquemment représentées, par exemple dans les L.V. 125, 135. Mais la scène ne constitue cependant pas une composition complète, comme pour un tableau; elle n'en a pas la complexité spatiale et il n'y a pas non plus d'accent au premier plan. Ce dessin est donc une étude indépendante. Les œuvres les plus proches par le style sont un dessin d'une composition semblable, mais lavé au premier plan, à Haarlem (T. 41) et trois dessins au crayon noir à Londres et à Bayonne (M. 253, 287; n° 1629). La date proposée peut également être vérifiée par comparaison avec les n°s 48 et 49 de cet album qui datent de 1640 à 1645.

25 LE JUGEMENT DE PARIS

Plume, lavis brun foncé, 180×263 mm. Date: environ 1645. A gauche, Pâris, assis, le chien à ses côtés, puis Minerve avec la lance, Junon avec le paon derrière elle, Vénus agenouillée avec l'Amour dénouant ses sandales; Mercure s'envole à droite.

Ce dessin de figures est un des plus vigoureux que Claude ait jamais exécuté. La technique pénétrante et fouillée, courante pendant les années 40, est caractéristique d'une étude préparatoire; le paysage a été ensuite complété pour faire de l'œuvre un dessin-tableau. Le lavis est si intense qu'il a rongé le papier par endroits. Le tableau pour lequel le dessin a été fait n'est connu que par sa copie dans le Liber Veritatis (n° 94). Il a été peint en 1645/6 pour de Fontenay, ambassadeur de France à Rome. Pâris, par exemple, au lieu de méditer indécis, fait un geste, Vénus est debout, sans vêtements, Minerve est placée plus discrètement à droite. Par leur disposition et non le style, ces figures ressemblent aux personnages inversés du tableau de Claude de même sujet, exécuté en 1633, dans lequel un spécialiste anonyme travaillant dans la manière suave de Poelenburgh a inséré les figures (R. fig. 23). Pour le second tableau de 1645/6, il existe une autre petite esquisse de figures, qui se rapproche un peu plus de la peinture que le présent dessin (H. 243). Litt. R. 254 et dans CA 1961, 19.

26 PAYSAGE

Crayon noir, lavis gris-brun léger, le premier plan à la plume, 186×216 mm avec l'encadrement. Date: environ 1675.

D'après sa composition et son exécution délicate, ce dessin doit dater des dernières années de Claude. L'écriture tremblante et irrégulière, à la plume et au lavis, indique que l'artiste était presque paralysé par la goutte à l'époque où il l'exécutait (Baldinucci rapporte que cette maladie le gênait tellement, vers la fin de sa vie, qu'il ne pouvait plus travailler plus de deux ou trois heures par jour). Parmi les autres dessins de la même écriture, on peut citer l'étude de 1679 pour le Christ et la Madeleine, à Chatsworth, et le grand arbre de 1678 du Musée de Berlin-Ouest. La composition caractérisée par le contraste d'un premier plan foncé et d'un lointain diffus, fait penser à une étude pour un tableau, dont elle a la richesse et la profondeur. Le côté gauche montre sur une colline entre les arbres une forteresse dominée par une tour ronde. En bas, à droite, quelques arbres sont légèrement esquissés. Les grands contrastes de hauteur et de masse entre les côtés gauche et droit, sont caractéristiques de plusieurs des derniers tableaux de Claude. Quoique la composition ne corresponde pas exactement à un tableau, elle se rapproche, inversée, de l'étude du British Museum vers 1675 pour la toile d'inspiration pastorale L.V. 190 (H. 302) qui diffère aussi du tableau. La petite figure couchée, au centre en bas, ne représente probablement pas un sujet précis mais elle fait penser à Psyché abandonnée (voir le n° 45) ou à Egérie en deuil (L.V. 175), peintes par Claude quelques années au paravant.

27 FIGURES PASTORALES

Plume, lavis brun, lavis clair pour le ciel, 192 × 258 mm. Date: 1640/5.

Ce dessin est sans doute chronologiquement le premier des quinze dessins de figures de cet album. Les quatre figures qui dominent le dessin par leur taille sont placées dans un paysage où les grandes formes sont peu nombreuses et qui n'a pas la profondeur habituelle des tableaux. Pour la beauté du style et de la technique du lavis profond, le dessin le plus proche est le Jugement de Pâris, n° 25. En comparaison, la présente étude est moins puissante dans les figures, moins vigoureuse dans l'exécution, et date peut-être donc de quelques années plus tôt. Il n'est pas certain qu'elle ait été, comme le Jugement de Pâris un travail préparatoire pour un tableau. Ce dessin a l'air d'une œuvre autonome, mais il pourrait néanmoins avoir servi de modèle pour les figures assez semblables dans les L.V. 56, 93 ou 112. Le geste de la femme à droite, soutenue par sa compagne, et l'absence de réaction du berger assis qui se détourne, donnent d'abord à penser qu'il s'agit d'une scène précise (voir le n° 43). Mais je ne vois pas de sujet adéquat, et l'arrangement quelque peu modifié des figures dans trois tableaux différents prouve l'absence de thème littéraire précis. D'inspiration bucolique, ces figures sont plus nobles que les bamboches des années 30, sans toutefois avoir le style classique et antique de la dernière période. Litt. R. 197.

28 PAYSAGE AVEC PHILIPPE BAPTISANT L'EUNUQUE

Plume, lavis jaune-brun, 195 × 283 mm. Inscription en bas au centre de la main de Claude « CLAUDIO

I.V. / ROMA 1677» (deux fois) et d'une autre main «EUNUCO di CANDACE» (de la même main que sur le frontispice et le n° 37).

Ce dessin est une étude de figures pour le tableau L.V. 191, daté 1678 et commandé par le Cardinal Spada en souvenir de son activité d'évangélisation (il appartient à présent à Lord Allendale). Le sujet est la scène souvent représentée de l'apôtre Philippe baptisant le riche eunuque de la reine Candace. Le tableau montre quelques différences significatives: les deux serviteurs sont placés d'une façon plus logique l'un derrière les chevaux, l'autre portant le casque de son maître, entre les deux groupes; les chevaux sont mieux proportionnés, les figures et le char – d'inspiration classique – plus stylisés; le groupe entier occupe exactement le centre. Dans le dessin, Claude a complété la scène par quelques larges éléments de paysage afin d'en faire une œuvre achevée. Quelques motifs de ce paysage – le premier plan, les ruines dans le lointain et la mer – se retrouvent dans le tableau, où l'espace entier est cependant bien plus étendu. Le dessin a donc été exécuté très probablement quand Claude avait déjà peint le paysage et s'apprêtait à y insérer les figures, qu'il ajoutait toujours en dernier lieu. Des dessins de figures comparables existent pour quelques autres des dernières peintures, que Claude préparait avec un nombre toujours plus grand d'études. On y retrouve en général l'écriture tremblante de l'artiste âgé, déjà notée dans le n° 26, et ces figures étirées avec préciosité. Litt. R. 449.

29 SAINT JEAN AU DESERT

Plume, lavis brun, 221 × 201 mm avec la bordure large de Claude. Inscription au centre en bas «Claud / fecit / Rom.» Date: environ 1670.

Cette œuvre exceptionnelle est à rapprocher naturellement de la Madeleine n° 1, dont elle forme, pour ainsi dire, le pendant. Le type de dessin, le thème religieux, le style d'ensemble est commun aux deux œuvres. La technique est semblable; elle paraît toutefois un peu moins avancée. Le Saint Jean a été sans nul doute dessiné comme une œuvre autonome. Ses dimensions sont cependant un peu plus grandes et il ne s'inspire pas d'un dessin antérieur. La composition, toute en surface, sans échappée sur les lointains, semble être à première vue une œuvre moins complète, mais elle ne manque pas de structure. Le bord inférieur est animé par un buisson, la figure et deux cavernes, la partie supérieure est dominée par le grand arbre; la plasticité du feuillage est créée par les différents fonds du lavis brun. De tous les dessins de Claude avec Saint Jean – parmi lesquels notamment les sept scènes de la vie du Saint, de 1655 environ, appartenant également à M. Georges Wildenstein (R. fig. 327) – celui-ci est le plus singulier. La composition audacieuse est conforme au style de la dernière époque de Claude.

Le verso, tourné de 90 degrés, présente une esquisse de paysage avec à gauche une ferme sur une colline et à droite une rivière, exécutée au crayon noir, rehaussé de blanc, avec une touche à la plume au centre. Litt. R. 259 et dans G.B.A. 1962, 158.

30 PORT DE MER

Plume, 185 × 264 mm avec l'encadrement. Deux diagonales à la plume. Le dessin est repris au verso à la plume, mais avec moins de détails et mis au carreau avec six diagonales dans chaque quart, qui transparaissent sur le recto. L'encadrement dessiné par Claude à la plume réduit légèrement les dimensions en bas. Date: début des années 40.

Les ports de mer – ou «perspective», selon le terme employé par Baldinucci – constituent un type de tableau que Claude porta à son apogée dans les années trente et quarante, puis qu'il abandonna. Parmi les études pour des ports, peu nombreuses, celle-ci est la plus intéressante. Bien qu'elle ne se rapporte à aucun tableau, cette riche composition, d'une extrême complexité, est tout à fait comparable aux ports de mer L.V. 54, 63 et 80, tandis que L.V. 114, de 1648, est déjà un peu plus élaboré par sa concentration des formes moins nombreuses mais plus grandes. La même écriture tâtonnante apparaît dans l'étude L.V. 198 pour le port de mer L.V. 54, de 1641. Un dessin du British Museum (H. 203), inspiré par la présente composition est plus grand, exécuté d'une façon délicate, et datable du début des années 40 parce qu'il appartient à l'album numéroté de Claude et porte au verso un paysage-étude pour L.V. 53; ces deux ports – celui de l'album Wildenstein et celui de Londres – sont les deux seuls ports sans de nombreux navires. Une esquisse conservée à Londres dans la collection Witt (n° 1859) est une variante pour le portique à gauche. Les figures ne représentent aucun

sujet particulier mais la composition pourrait bien avoir servi pour un thème comme Ulysse et Chryseis (L.V. 80) ou Didon montrant Carthage. Quant aux diagonales, Claude les dessina très fréquemment dans des études comme indications générales pour l'équilibre de sa composition; les n° 34 et 45 portent les mêmes.

31 ETUDES DE BOVIDES

Crayon rouge, léger lavis rouge, un peu de lavis brun pour la terre, 172 × 238 mm. Date: environ 1645.

Les vaches furent toujours parmi les animaux favoris de Claude. Il les dessina et les peignit dans toutes les positions. Parmi les études de bovidés, celle-ci – qui constitue avec le n° 15 la seule étude de détail de cet album – est à la fois la plus grande et la plus belle et la dernière. Claude réunit les quatre animaux en un groupe pittoresque. Le même style se retrouve dans le n° 16. On ne connaissait jusqu'à ces dernières années qu'une dizaine d'études de bovidés. En 1957, apparut, provenant de la collection Odescalchi, dont l'album Wildenstein avait aussi fait partie, un album de 64 petits dessins, en majorité des esquisses d'une ou de plusieurs vaches au crayon noir ou à la plume, datant d'environ 1635/40 (voir R., «Animal Studies», Seiferheld Gallery, New York 1961, et R., dans ZKG 1961, 164; quelques-unes reproduites). Les études de Claude d'après nature ne furent pas exécutées en général en vue de leur utilisation directe dans une peinture. Il est surprenant de constater que parmi les centaines d'études d'arbres, de plantes et d'animaux, seul un nombre insignifiant se retrouve dans des tableaux. Une autre étude de bovidés est cataloguée ici sous le n° 52.

32 PAYSAGE AVEC UNE EGLISE

Plume, crayon noir pour les lointains, lavis brun léger, 150 × 210 mm. Date: 1660/5.

Les dessins d'après nature sont plus rares dans les dernières années de Claude. Le présent dessin si simple soit-il, est un joyau dans son genre. La technique particulière de la plume unie au lavis léger et au crayon pour le lointain, le place au début des années 60. Quoique la composition reste ouverte sur les côtés à la manière d'une vignette décorative romantique, sa solidité est créée par les arbres foncés et des figures placées à droite, contrastant avec le groupe d'arbres illuminés à gauche, entre lesquels s'élève l'église. Un lac apparaît à gauche, ce doit être un des lacs des environs de Rome et l'on pourrait peut-être encore, en la recherchant, identifier l'église.

33 NAVIRES

Plume, léger lavis brun, 210×320 mm, coupé irrégulièrement. Le papier est usé. Date: 1620/30.

Si ce dessin avait été découvert isolément dans le cabinet d'un amateur, personne n'aurait pu prouver qu'il s'agissait d'une composition de Claude et personne non plus n'aurait songé à l'attribuer à Claude. La présence de ce dessin dans notre album, où il est le seul pour lequel un doute est possible, bouleverse la situation: sauf preuve contraire, il faut admettre qu'il s'agit là d'un dessin de Claude, et, au vu de l'ensemble de son œuvre, il ne peut dater que de sa première époque. Jusqu'à présent, nous ne connaissions aucune œuvre antérieure à 1630. Mais nous savons qu'avant cette date, Claude avait travaillé pendant plusieurs années dans l'atelier de Tassi. Et c'est précisément ce genre de sujet que nous trouvons dans les nombreuses marines et scènes côtières des fresques décoratives que Tassi et ses collaborateurs ont exécutées entre les années 1610 et 1630 à Bagnaia et dans de nombreux palais romains, en particulier dans celui des Rospigliosi (voir par exemple Hess, Tassi, pl. 12, 25).

Ce dessin forme une composition complète, dominée par le grand navire en construction et les mâts diagonaux de chaque côté. Quelques personnages sont en train de recouvrir le navire de gauche d'une couche de goudron, d'où des nuages de fumée s'élèvent vers le ciel. Cette scène est souvent représentée dans d'anciennes marines. Le contraste du clair obscur a dû être beaucoup plus violent à l'origine. Bien que ce dessin ne puisse être considéré comme un chef-d'œuvre, il a pourtant un certain caractère, et si la main de l'auteur est encore hésitante, elle est du moins sensible. Plus typique d'une œuvre de Claude antérieure à 1630 est la technique de la plume qui correspond à celle de ses premiers dessins certains – La Tempête de 1630 (H. 193), La Trinité-des-Monts, de 1632 environ, à Léningrad, la Vue côtière de Cambridge (R. fig. 318). Cette œuvre confirme donc l'influence sur les débuts de la carrière artistique de Claude

de la fresque décorative romaine et de Tassi. Ce dessin sera le document clé pour les recherches futures sur les premiers travaux du peintre.

Le verso de ce dessin réserve une autre surprise: il est collé, dos à dos, à un dessin exécuté au crayon noir, placé en hauteur et qui représente une femme à cheval; le sujet recouvre la feuille entière. Dans la partie inférieure, on voit trois chiens, un lièvre et la fin illisible d'une inscription. Le dessin, dont le style diffère du feuillet de navires, est dû sans doute à Claude, et il reflète le style de Deruet, chez qui Claude travailla de 1625 à 1627 à Nancy, mais dont l'influence n'a encore jamais pu être décelée dans l'œuvre du grand paysagiste. Les figures correspondent assez exactement à la partie centrale de l'allégorie de l'Air de Deruet à Orléans. Malgré l'intérêt que présente ce dessin, il ne sera possible de le commenter et d'en fixer la date d'exécution que le jour où il pourra être examiné détaché de sa monture. Litt. R. 36, 55.

34 PAYSAGE AVEC DES DANSEURS

Plume, lavis brun, 257×190 mm. Inscription en bas à gauche très petite «Claudio Gille». Une grille de construction au crayon est constituée par l'horizon, les axes centraux et dix marques de pouces à droite (voir les nos 2 et 30). Les traces d'un dessin au crayon sur le verso apparaissent à travers la monture. Date: environ 1642.

La composition de ce dessin exquis correspond en gros au petit tableau L.V. 62, peint en 1642; cette date paraît également confirmée par la technique du dessin rapide et lumineuse. Au lieu de représenter une fête champêtre, le tableau ne montre que quelques bergers conduisant leurs troupeaux et, au loin, une vue imaginaire de Tivoli. Le groupe de figures avec les deux danseurs entourés de nombreux spectateurs et, à droite, les deux personnages à cheval, rappelle inversée la danse L.V. 13. Le dessin est très vraisemblablement une première étude pour le tableau; il forme le pendant d'un port de mer comme l'est déjà le L.V. 13. Il était donc tout naturel pour Claude de songer à une danse, sujet qu'il peut avoir abandonné parce qu'il était trop complexe pour un tableau de petites dimensions. Un dessin comparable d'une danse avec quelques éléments du L.V. 1 mais d'authenticité douteuse se trouve à Chatsworth (no 882, L.V. III, 81); un autre dessin de danse figure dans cet album sous le no 16.

24

35 PAYSAGE

Crayon noir, lavis gris-brun léger, le palmier et la partie inférieure droite également à la plume et au lavis brun, les lointains au lavis bleuâtre léger, 260×400 mm. On aperçoit à travers le montage au verso, une esquisse au crayon noir couvrant la page entière. Date: 1645/50.

La technique large, la force d'évocation de ce paysage, sujet vigoureux et inhabituel, ses grandes dimensions, font de ce dessin de Claude un des plus beaux qui soient. Chaque élément couvre une grande surface – le groupe d'arbres principal, le palmier à droite, la plate-forme entre ces arbres, la colline avec la citadelle. Il n'y a point de détails. A l'extrême gauche, l'espace ne consiste qu'en couches abstraites de lavis. Le genre de ce dessin ne permet de le ranger ni parmi les études d'après nature habituelles, ni parmi les compositions. Le paysage a probablement été dessiné d'après nature, mais il a été rendu plus monumental. La grandeur héroïque du paysage annonce les quelques tableaux du début des années 50 tels que le L.V. 125. Cependant le style et l'exécution, un peu plus tardifs que ceux des nos 41 et 57, appartiennent encore à la décade précédente.

36 PAYSAGE DE RUINES

Lavis brun, un peu de lavis gris, 200×270 mm. Au verso, quelques lignes verticales et horizontales et une petite esquisse de paysage à la sanguine. Date: environ 1630.

Il s'agit ici du plus beau des premiers dessins de Claude qui nous soient connus. Pour la connaissance de ses débuts, cette feuille est aussi importante que l'étude de navires des années 20 (no 33) et l'étude d'arbre de 1633 (no 12), entre lesquelles on doit la situer. Exécuté entièrement au lavis sur une faible esquisse au crayon, ce dessin témoigne déjà de la maîtrise de l'artiste dans l'emploi exclusif et brillant de cette technique difficile. Le centre est dominé par la masse compacte d'une grande ruine de la Campagne, ressemblant au nymphée de Minerva Médica à Rome. A gauche, la ruine forme contraste avec une zone en diagonale, à droite elle est limitée par une autre surface de l'édifice et par les arbres. De chaque côté, une petite figure rappelle l'échelle humaine. Tandis que l'étendue principale de chaque forme est rendue

par une surface régulière de lavis transparent, les extrémités et quelques silhouettes sont indiquées par des pointillés ou des petits traits caractéristiques. Cette technique juvénile correspond à une imitation consciente et heureuse du style de Breenbergh qui vivait à Rome pendant les années 20 où il fut l'élève de Poelenburgh. Contemporain de Claude, il était plus précoce que lui. Les grands dessins du Hollandais, excellents et nombreux, sont souvent très proches de ceux de Claude, quoique un peu moins cohérents dans leur composition. Des parentés stylistiques existent entre cette page et les petits feuillets d'album du British Museum et de Windsor (par exemple H. 123), les ruines H. 142, le paysage H. 56 et quelques autres. Seul, cependant, un paysage de collines inédit, dessiné au lavis (M. Thaw, New-York), approche la qualité de cette feuille.

37 MOISE ET LE BUISSON ARDENT

Crayon noir, lavis gris léger, 190×249 mm avec l'encadrement. Inscription en bas à droite du verso «Claudio Gillee / Dito il lorenese 1663 fecit» et, d'une écriture postérieure en bas du recto «F. Prodigo» (l'enfant prodigue, ce qui est une interprétation absurde; voir le no 33).

Entre les vigoureux dessins de figures des années 50, par exemple le no 11, et le style retenu des dernières années tel qu'il apparaît au no 28, cette feuille et le no 43 représentent le style serein des années 60. Le thème de Moïse a été traité pour le tableau L.V. 161 de Lord Ellesmere, préparé dès 1660 par quatre dessins élaborés de la composition entière et terminé en 1664. Le présent dessin est la dernière des études, apparemment exécutée quand le tableau était déjà en cours d'exécution. La figure de Moïse correspond exactement à la version finale, où son attitude pieuse est cependant plus convaincante. En revanche, l'entourage diffère un peu. Comme il l'a fait aussi pour d'autres dessins de figures de cet album, Claude a complété son étude pour en faire une œuvre indépendante. L'exécution un peu floue, le lavis gris pâle et l'attitude recherchée de la figure allongée sont caractéristiques du style de sa dernière époque. En 1664, Claude répéta la figure, entourée cette fois d'un paysage plus important, dans un dessin au crayon élaboré, conservé aujourd'hui à Berlin Ouest et dédié au père Sorba (R. dans l'Œil, juin 1961, 59). Litt. R. 384.

38 PAYSAGE

Papier blanc coloré en rose, 210×285 mm. Crayon noir, lavis brun intense. Inscription au centre en bas, de la main tremblante de Claude, «CLAUDIO. f.». Au verso, la partie droite du dessin est décalquée rapidement au crayon, le milieu à la plume. Date: début des années 40.

Cette superbe étude d'après nature, qui semble de prime abord une esquisse spontanée exécutée au hasard d'une excursion en Campanie, est en même temps un chef-d'œuvre d'ordre et de pureté artistique. La scène est encadrée soigneusement par des arbres de chaque côté et par une plate-forme en bas, limitée à son tour, à gauche et à droite, par des buissons sombres qui se détachent sur un fond plus clair; le plan intermédiaire est dominé par la silhouette d'une église. L'exécution est d'une remarquable sobriété. Le lavis pur, sur une légère esquisse au crayon, donne sa qualité à la surface, unie, encore rehaussée par le fond rose. L'illusion de la profondeur est créée par la succession des surfaces, tour à tour éclairées et obscures. Le dessin peut être rapproché des n⁰ˢ 42 et 57.

39 VUE DE L'ACQUA ACETOSA

Crayon noir, léger lavis crème, 202×312 mm avec l'encadrement. Inscription en bas «Claudio fecit / Roma 1662 le dernier / iour de l'ané le iour de St. Silvestre alla acetosa».

L'inscription de la main de Claude nous renseigne sur les circonstances de l'exécution: il a été fait le 31 décembre 1662 à l'Acqua Acetosa, juste au nord de Rome. Au centre se trouve la célèbre fontaine qui devait être transformée peu de temps après pour prendre son aspect actuel. Le même paysage apparaît au n⁰ 44 de l'album. A l'époque, l'endroit était plus renommé qu'il ne l'est actuellement, et bien qu'il ne se retrouve dans aucun tableau de Claude, il a été souvent gravé, par exemple dans le Nuovo Teatro de Falda, et a fourni quelques années plus tôt, légèrement idéalisé, le cadre du tableau de Saint Matthieu de Poussin conservé aujourd'hui à Berlin. Ce dessin représente une œuvre complète avec un encadrement

d'arbres de chaque côté et une plate-forme en bas, sur laquelle des figures sont disposées symétriquement. L'unité du paysage est due aussi à l'éclairage qui vient de gauche (ouest) et qui crée entre le premier plan et le lointain illuminés une zone centrale plus sombre. Enfin, l'exécution est plus uniforme que dans des œuvres antérieures, où le contraste entre le premier plan et le lointain est souligné par l'emploi de touches respectivement vigoureuses et délicates. L'ensemble donne l'impression d'un clair après-midi d'hiver, quoique les arbres soient garnis de plus de feuillages qu'ils n'en avaient dans la réalité.

40 PAYSAGE VU DEPUIS TIVOLI

Plume, léger lavis gris-brun, 215×310 mm. Au verso, d'où une tache apparaît sur la droite du recto, se trouve une vue panoramique esquissée en quelques lignes de crayon noir et l'inscription à la plume «veduta di tivoli / 1647 / Claud.»

Claude emploie sa technique avec une pureté magistrale. Le même site lui inspire en quelques années deux œuvres aussi différentes que le dessin au lavis n⁰ 57 et celui-ci. La sobriété des moyens et de la composition caractérise cette étude. A la zone du bas, traversée uniquement par quelques diagonales, succède une série d'arbres dessinés par des hachures parallèles et ensuite des collines avec de moins en moins de détails. Le dessin entier est complété par un peu de lavis. Il n'y a pas de grands motifs susceptibles de former un cadre à la composition. Ce dessin est un des plus remarquables parmi un groupe d'études rapides d'après nature, faites dans le même genre, et dont la «Vista del Sasso» de 1649 conservée à Rotterdam fait partie. On trouve aussi plus tard des dessins exécutés uniquement à la plume, par exemple, vingt ans après le n⁰ 17, mais la plume n'a plus alors le brio de cette feuille-ci. Bien que Claude n'ait pas employé directement de tels dessins pour ses tableaux, une parenté apparaît de temps en temps avec une peinture. Ainsi la Vue depuis Tivoli peut être rapprochée du paysage pastoral au Musée Métropolitain de New York, peint la même année (L.V. 110).

41 PAYSAGE ROCHEUX

Crayon noir, léger lavis crème, 224×319 mm. Numéroté par Claude «10» à gauche; inscription au

verso au crayon rouge, à l'envers «CLAV / R. IV».
Date: environ 1640.

La vue s'étend depuis un premier plan violemment contrasté et dans un encadrement d'arbres vers une vallée flanquée de collines rocheuses et accidentées. L'unité stylistique de l'œuvre est due à la technique régulière et presque abstraite du crayon, mais aussi à la qualité de la surface de chaque partie. Le dessin est un des plus saisissants parmi une douzaine d'études d'après nature semblables faites au crayon gras et représentant des montagnes des environs de Tivoli. Ces études recouvrent entièrement les pages et montrent parfois des cascades ou des cavernes (par exemple, T. 69 et 70, à Haarlem, tous deux numérotés et monogrammés).

Le chiffres et le paraphe particulier de Claude au verso, indiquent que le dessin a fait partie d'un album réuni par l'artiste et à présent dispersé (voir M. Kitson, dans «Burlington Mag.» 1961, 254). Il consistait en une série d'études d'après nature, belles et élaborées, faites à Rome ou dans les environs et exécutées selon différentes techniques, mais toutes dans les mêmes dimensions et en largeur, et datant environ de 1640. Le papier est en général blanc crème, dans quelques cas bleu. Un second album numéroté aujourd'hui également dispersé, était formé à l'origine de feuilles presque toutes en hauteur. Les deux albums numérotés n'étaient pas à l'origine des cahiers reliés; Claude les a composés en assemblant des feuillets séparés. Pour l'album en largeur, le plus grand numéro connu est le 69. Grâce à quelque découvertes récentes, nous connaissons maintenant un peu plus de la moitié des pages, dont la plupart se trouvent au British Museum et à Haarlem. L'album Wildenstein n'en compte pas moins de cinq – les n°s 41, 52, 53, 57 et 59 de la présente publication. Ceci donne d'ailleurs à penser que Claude n'a pas constitué lui-même l'album Wildenstein tel que nous le connaissons; il a peut-être été réalisé par ses héritiers. Quelques autres dessins d'après nature portent les signes distinctifs de l'album numéroté, sans toutefois avoir le chiffre ou la signature (par exemple ici le n° 42).

42 PAYSAGE

Papier bleu, crayon noir, lavis brun en bas et à droite, le reste au lavis gris-brun léger, avec une touche à la plume, 214 × 310 mm avec l'encadrement. Date: début des années 40.

Des dessins sur papier bleu ont été exécutés à toutes les époques par Claude. En général, il employait le papier coloré pour des œuvres particulièrement belles ou pour des effets spéciaux de lumière, et non pas pour des esquisses. Cette étonnante étude impressionniste est faite avec une extrême économie de moyens. Quelques touches abstraites de crayon et de lavis créent une illusion de profondeur et de lumière. Les zones de lavis en bas et à droite servent à créer par contraste la sensation de la distance. Le dessin correspond à plusieurs égards à l'album numéroté, décrit au n° 41, en particulier par sa date, la technique, la grandeur et l'encadrement; mais il est un peu plus simple. L'exécution et la composition se rapprochent beaucoup de deux études d'après nature conservées à Londres (H. 152, 86). Le style peut aussi être rapproché de celui du n° 57 de cet album, exécuté avec un peu plus de minutie.

43 JACOB, RACHEL ET LIA AU PUITS

Les figures et les animaux sont dessinés à la plume et au lavis gris, la partie inférieure à la plume et au lavis brun, les lointains au crayon noir, 202 × 310 mm ainsi que l'encadrement. En haut, à droite et à peine indiquée, se trouve une forteresse sur une montagne. Au verso, quelques lignes au crayon. Date: 1666.

Ce dessin de figures, un des plus impressionnants de l'album, se rapporte au tableau L.V. 169 conservé à Léningrad, daté de 1666. Claude avait dessiné pour le préparer cinq études de la composition entière, dont deux sont datées de 1665; la plus originale est le n° 2 de l'album. Les figures et les moutons correspondent exactement au tableau – plus encore que dans les cinq autres études – tandis que pour le lointain il existe des différences. Comparé à d'autres dessins à figures, en particulier aux n°s 28 et 37 de l'album, tous deux datés d'un an avant les tableaux, ce dessin apparaît incontestablement comme l'esquisse finale pour la mise en place des figures, et non pas comme une copie du tableau. Comme il le fit pour quelques autres dessins de figures, Claude compléta cette étude et la transforma en une œuvre autonome avec des formes grandes et peu nombreuses contenues dans un espace étroit. Les figures allongées ont la simple noblesse caractéristique des thèmes bibliques de la dernière période de l'artiste. Le groupe de figures est dérivé de la fresque de Raphael du même sujet aux Loges Vaticanes. Litt. R. 401.

44   VUE DE L'ACQUA ACETOSA

Plume, lavis brun, 216×318 mm. Date: 1660/5.

Il est établi que l'endroit représenté dans ce beau dessin d'après nature est l'Acqua Acetosa sur le Tibre, près de Rome, grâce à l'inscription de la main de Claude sur le nº 39, qui est daté de 1662 et représente le même paysage. Ici, le site est plus étroit, moins encadré, et rendu par quelques lignes pointillées puis quelque peu de lavis. Les accents principaux se trouvent au centre du paysage, limité au premier plan par le grand arbre foncé et les branches d'un arbuste. Un chemin conduit au loin. Les zones extérieures sont encore moins détaillées. L'arrière-plan est légèrement coloré de lavis. Le style indique une date tardive, postérieure aux nºs 40 et 45 de cet album, datés de 1647 et 1651. Le dessin peut être rapproché de quelques esquisses d'après nature de 1662. Il appartient par conséquent à la même période que l'autre vue de l'Acqua Acetosa, quelles que soient en apparence les différences dues aux genres des deux œuvres et aux techniques employées.

45   PAYSAGE AVEC PSYCHE

Plume, différents tons de lavis brun, diagonales au crayon rouge, 180×345 mm, sur deux feuilles collées ensemble à 105 mm de l'extrémité gauche. Inscription en bas avec quelques signes illisibles et « 1663 Roma », en partie coupé. Le verso en hauteur, porte l'esquisse d'une façade de palais au crayon et l'inscription de la main de Claude « Al Molto Ill^{re} e Reverendo padre sorba / il padre maestro nel humanita del / Collegio Romano. » L'inscription entière est répétée par Claude presque inchangée immédiatement en dessous.

Cette grande feuille, très travaillée, est un des dessins de Claude les plus intéressants et les plus rares. C'est une œuvre préparatoire pour le célèbre tableau de Psyché et le palais d'Amour L.V. 162, peint en 1664 pour le Prince Colonna et conservé aujourd'hui à Wantage. Ce dessin a été précédé par deux études plus petites, l'une dans la collection Alberman, signée au recto « Claud 1663 » et dédiée au revers « Claudio Gellee fecit / Ditt le loraine A Roma 1666 / Mr Gulquin (?) », l'autre à Chantilly (avec une date incertaine); dans aucune des deux n'apparaît le château. Dans le tableau, le palais occupe le centre, ce qui serait le cas ici également si l'on tenait seulement compte de la feuille de droite. Il est probable que le dessin n'a

comporté au début que la feuille de droite, qui montre un dessin complet dans les proportions des deux autres études. Par la suite, Claude a sans doute ajouté la partie gauche. Pour le tableau, il a maintenu le nouveau format allongé et les montagnes à gauche, créant cependant un meilleur équilibre pour l'ensemble en remplaçant la forteresse par un palais de style classique. Le paysage représenté sur la page de gauche correspond essentiellement à un dessin autonome exécuté à la plume et conservé à Oxford (catalogue Parker 414); au verso, le dessin d'Oxford porte, comme celui de la collection Alberman, une dédicace: « Claude Gellée fecit Roma le deuz juin / A Roma 1666 / A monsieur Gilquin (?). » Pour les diagonales, voir le nº 30.

La double inscription au verso ne se rapporte pas, me semble-t-il, à ce dessin; elle est plutôt un essai de mise en page pour la dédicace au père Sorba de deux dessins de 1664 conservés à Berlin et reproduisant les tableaux L.V. 160 et 161 (voir le nº 37). Litt. R. 386.

46   PAYSAGE PASTORAL

Plusieurs touches légères de lavis brun, un peu de plume au premier plan, légèrement rehaussée en haut à gauche et à droite, 230×330 mm (feuille). Au verso, le dessin est partiellement décalqué au crayon noir. Date: 1645/50.

Ce superbe dessin au lavis a été vraisemblablement exécuté sur le motif. Sans être une étude d'après nature telle que, par exemple, le nº 40, il a la composition ordonnée d'une œuvre autonome. Un premier plan sombre avec de grandes formes longe l'encadrement en bas et à gauche. Au-delà d'un cours d'eau, la vue est limitée par une colline boisée montant vers la droite. Un berger est assis à l'ombre d'un arbre près de ses troupeaux. Comme dans beaucoup de cas, par exemple le nº 57, l'unité stylistique de la page est due à l'espace clos et à la qualité plastique de toutes les formes – les grands troncs aussi bien que les masses de feuillage à gauche et à droite. Citons comme dessins au lavis de la même date et de même style les pastorales de la Bibliothèque Morgan, de New York, datées de 1645 (catalogue Murray III 82) et le dessin R. fig. 331. Ce dessin peut être aussi rapproché des nombreux tableaux de pastorales des environs de 1645, par exemple L.V. 93, 98, 109, 110. Une composition très semblable se retrouve au nº 56 de cet album.

47 PAYSAGE AVEC DES GUERRIERS

Papier blanc coloré en jaune, 222 × 330 mm. Crayon noir, plume, lavis gris-jaune, rehaussé de jaune dans les guerriers et le ciel, les lointains uniquement au crayon et au lavis. Date: 1655/8.

Une œuvre aussi héroïque et dramatique que celle-ci n'a pu être conçue par Claude que dans les années 50. Le style, la technique, même le fond jaune de ce dessin exceptionnel rappellent le dessin de figure du David nº 55. Cependant, il ne s'agit pas ici de la reproduction du groupe de figures d'un tableau; ce dessin constitue plutôt une composition autonome, dans laquelle le rôle des figures est prépondérant, tandis que l'espace est relativement clos. L'exécution est plus vigoureuse et plus fouillée que dans le David. Un groupe de guerriers à gauche poursuit un autre groupe; quelques-uns sont à cheval. Les deux masses sont séparées par le grand arbre au centre. Le côté gauche de la composition s'ouvre sur une large perspective, le côté droit est complètement rempli et limité par deux grands arbres au premier plan. Les guerriers sont vêtus à l'antique, mais la forteresse médiévale correspondrait plutôt à un thème biblique qu'à un thème classique. Le seul sujet comparable est la Bataille sur le pont L.V. 137, de 1655. Ni le tableau, ni ce dessin ne permettent d'identifier le sujet de la scène. Claude aura peut-être songé à une bataille de l'Ancien Testament en rapport avec David, par exemple une victoire de David ou de Josué. Litt. R. dans G.B.A. 1962, 157.

48 PAYSAGE

Crayon noir, lavis gris clair, 210 × 310 mm. Date: environ 1644.

Dans l'œuvre graphique de Claude, ce dessin au crayon occupe une place à part et annonce certaines pages du début et du milieu du 19e siècle. A voir sa composition, il est très improbable qu'il ait été exécuté d'après nature. Esquissé rapidement, avec une légère couche de lavis, il constitue une étude préliminaire pour deux tableaux datant environ de 1645, L.V. 83 et 90. Comme cela se produit souvent pour des études de composition, le premier plan est imprécis; au-dessous de la tour se trouvent deux minuscules personnages qui conduisent des animaux. Le premier des deux tableaux (dans la collection royale anglaise) montre cinq grandes vaches au centre du premier plan, mais pas le sol en bas à gauche, des arbres moins hauts à l'extrémité gauche, et le tombeau de Cecilia Metella au lieu de la tour circulaire. Le second tableau est assez différent; mais la première des deux études préparatoires (l'une au Louvre D. 25, la seconde à Londres H. 252), fait suite au dessin Wildenstein. Ce qui distingue cette page – surtout si on la compare au numéro suivant – c'est le fait de trouver autant de facilité, de liberté et de grâce dans une étude pour un tableau. Une œuvre comparable par son style est le dessin de Londres H. 175.

49 PAYSAGE PASTORAL

Crayon noir, léger lavis gris, un peu de lavis brun à droite, rehaussé de blanc à trois endroits afin d'éliminer des taches, 203 × 271 mm avec l'encadrement. Date: début des années 40. A part le nº 33 des premières années, cette page est la seule de l'album qui ait perdu un peu de sa fraîcheur.

Par son style, son genre et sa technique, ce dessin peut être comparé au numéro précédent. L'exécution en est un peu moins libre mais la raison en est peut-être qu'il s'agit d'une étude exécutée à un stade plus avancé de l'exécution du tableau. Le premier plan avec des figures, des plantes et un buisson est détaillé avec soin. Derrière, on découvre successivement de grands arbres à droite, à travers d'autres arbres au centre, un pont et une perspective terminée par des montagnes. Bien que ces éléments se retrouvent, avec des variantes, dans des peintures pastorales du début des années 50, aucun tableau ne correspond exactement à ce sujet. Le L.V. 56 est le tableau le plus proche.

Le verso porte une étude anatomique de jambe au crayon rouge. Cinq autres dessins portent au verso des études semblables: le nº 51 un homme assis; un feuillet à Windsor (Blunt 56) un homme debout; un dessin de Londres (H. 47) une jambe; un autre feuillet un torse masculin (R., Animal studies, Seiferheld Gallery, New York 1961, 6, repr.). Les jambes sont coupées, ce qui signifie qu'elles ont été faites avant les rectos et sur des feuilles plus grandes. Les rectos des six dessins, qui s'échelonnent des premières années à l'âge mûr, n'ont rien de commun. Les nus, bien que différents des autres dessins de Claude, ne sont pas incompatibles avec le reste de son œuvre et le seul fait de leur existence suffirait à les authentifier. On se souvient aussi que selon Sandrart, Claude «dessina pendant bien des années à Rome, dans les académies, des modèles vivants et des statues. » Dans les études citées, il est difficile de distinguer les modèles vivants des statues. Nous devons admettre que Claude ne dessina ces nus qu'au début de sa carrière, et qu'il les tenait en médiocre estime, puisqu'il en coupa une partie et employa l'autre côté des feuilles pour y exécuter des paysages.

50   REBECCA AU PUITS

Crayon noir, une touche de rehaut, encadré à la plume, 186 × 246 mm. Date: environ 1655.

Ce dessin de figures, qui reste sans équivalent dans l'œuvre de Claude, est une œuvre complète, constituée par quelques grands motifs recouvrant la page entière. Ce dessin annonce Watteau. L'exécution est soignée, malgré l'emploi du seul crayon noir. Le sujet est comparable à celui du dessin «Rébecca et Eliézer au puits» conservé à Londres et daté de 1675 (H. 298), qui représente la scène dans un vaste paysage ouvert, avec également les motifs du chameau s'abreuvant et de la porte de la cité à gauche. Au lieu d'Eliézer, âgé, le présent dessin montre un jeune homme qui pourrait être Isaac. Mais la Bible ne parle pas d'une scène de ce genre, et cette scène n'a jamais été peinte. Claude s'étant cependant autorisé à ajouter Lia dans la scène de Jacob et Rachel (n° 43), agit aussi librement dans le cas présent. Aucun autre dessin de figure au crayon des années 70 ne nous est connu, mais le style ne laisse aucun doute sur la date d'exécution de quinze à vingt ans avant le dessin de Londres. La composition allongée du dessin de Londres fait supposer aussi que Claude a songé à un tableau du sujet de Rébecca au puits, peut-être pour un pendant à l'un des tableaux avec sujets de l'Ancien Testament, L.V. 188 et 189, qu'il doit avoir préparé à la même époque. Une figure analogue quant au style à celle de Rébecca apparaît dans le dessin d'une procession de femmes conservé à Bayonne (R. 443 et dans G.B.A. 1962, 157).

51   LA VALLEE DU TIBRE PRES DE ROME

Le premier plan au lavis brun, les lointains au lavis gris brun clair, 222 × 330 mm. Date: environ 1640/5.

Par sa composition, par l'effet de lumière et l'emploi pur et discret du lavis, cette page est un superbe exemple de la maîtrise de Claude. Comme beaucoup de paysages plats des artistes hollandais du 17e siècle, ce dessin est basé sur les contrastes extrêmes de grandes formes au premier plan, juxtaposées immédiatement à des petits motifs dans le lointain. Dans chaque plan, le centre est accentué. Il n'y a pas de motifs verticaux dominants. Les plans se succèdent presque imperceptiblement en diagonale, en commençant par le sentier qui conduit à droite vers le fleuve. La tour au centre est peut-être le Tor di Quinto, à une lieue en amont du Ponte Molle, sur la rive nord du Tibre. Le même paysage se retrouve dans un beau dessin du Louvre datant de la même période mais composé de façon différente et montrant la rivière au premier plan (D. 8).

Au verso se trouve, renversée, une étude au crayon rouge, assez élaborée, d'un homme nu, assis; voir le commentaire au n° 49.

52   VUE EXTERIEURE DE LA PIAZZA DEL POPOLO

Crayon noir, lavis gris, à droite une touche de lavis brun, 212 × 313 mm avec l'encadrement à la plume. Numéroté par Claude «17» en bas à droite avec une inscription au verso, en bas au centre, «CLAV / Ro» au crayon rouge. Date: environ 1640.

Cette vue d'après nature inhabituelle représente un site urbain à Rome dont l'aspect est très différent aujourd'hui. L'église est Santa Maria del Popolo; à droite, on voit l'obélisque de la Piazza del Popolo et le Pincio. La Porta del Popolo elle-même est à moitié cachée par les arbres. La vue est prise à l'extérieur des remparts, vers le Tibre. Un site analogue se retrouve dans une gravure d'environ 1640, par Israël Silvestre, et un autre presque identique dans un dessin de Grimaldi conservé au Louvre (n° 8341). Grimaldi montre au premier plan le même terrain ondulé. Bien que l'endroit soit aujourd'hui nivelé et couvert de maisons, l'étude de Grimaldi prouve que la zone incurvée aussi est conforme à la réalité. Les deux vaches de profil ne font pas partie du reste de la scène, mais elles ont sans doute été dessinées en même temps, car le lavis et la technique sont identiques (voir le n° 31 pour une autre étude de vaches). Le premier plan découvert avec les vaches correspond à une mise en page très recherchée de cet étroit paysage représenté comme dans un carnet d'études. On ne peut guère considérer cependant ce dessin comme inachevé. Le chiffre et le paraphe indiquent que ce feuillet a fait partie de l'album décrit à la notice 41. Cet album contenait d'autres vues de Rome.

53 UN PONT PRES DE TIVOLI

Plume, lavis brun foncé, 216 × 312 mm avec l'encadrement. Numéroté par Claude «50» en bas à droite: inscription au verso, en bas au centre, «CLAV» au crayon rouge. Date: environ 1640.

Cette splendide étude d'après nature, dessinée avec régularité et remplissant la page, constitue une œuvre complète par elle-même. Le même pont se retrouve dans un dessin de la même époque à présent perdu, naguère dans la collection Koenigs (Bulletin du Musée Boymans, Rotterdam, 1956, 109, repr.). Il est sur papier bleu, numéroté «59» avec une inscription de la main de Claude «ponte e molo faict a foro de tivoli». Les deux dessins ont fait partie du même album, décrit ici au n° 41 et qui fut constitué avec les plus beaux dessins d'après nature des environs de l'année 1640. Dans le dessin Koenigs, le pont est vu de l'autre côté; le site qu'on découvre est un peu plus étendu, le contraste entre les zones illuminées et sombres un peu plus violent. Ce pont apparaît aussi dans plusieurs dessins d'artistes hollandais vivant en Italie au 17ᵉ siècle, en particulier dans un dessin attribué jusqu'à présent à Claude, conservé à la Bibliothèque Morgan à New York (catalogue Murray I 269).

54 APOLLON ET LES MUSES

Plume, lavis brun, rehaussé dans les arbres, 203 × 574 mm sur trois feuilles collées ensemble à 10 et 270 mm de l'extrémité gauche, et pliées au milieu. Signé au centre «CLAVDIO. I.V.F. ROMA 1674», à droite «CLAVD. F.», «Claudio fecit.»

Ce dessin est aussi l'un des plus extraordinaires et des plus grands de Claude. Les figures correspondent à celles qui sont placées au milieu d'un de ses plus grands tableaux, le Parnasse L.V. 126, peint vingt-deux ans plus tôt et conservé aujourd'hui à Edimbourg. En 1674, le tableau se trouvait encore dans la collection du cardinal-neveu Pamphilj, pour lequel il

avait été peint. Claude copia déjà en 1664 le tableau entier dans un grand dessin conservé au Louvre (D. 43). Comme les figures couvrent aussi bien dans le présent dessin que dans le tableau un espace de 520 mm de largeur exactement, il est possible que Claude l'ait exécuté en tenant sa feuille directement sur le tableau. Il y a quelques différences insignifiantes, et les arbres sont seulement adaptés au format allongé du dessin. A chaque figure correspond un cartouche mentionnant ses attributs; les inscriptions sont copiées textuellement de «l'Iconologie» de César da Ripa, encyclopédie par excellence de l'érudition classique; à droite nous lisons par exemple «Clio ghirlanda di lauro e con la mano uno tromba» etc. Claude a sans doute été très fier de son tableau peint pour un des hommes les plus illustres de son temps. En 1680, il a exécuté deux autres tableaux du Parnasse, dont l'un est à Boston et l'autre à Jacksonville, Fla (L.V. 193, 195). Il prépara le premier des deux en se servant de quatre dessins de composition de la scène entière, tous datés comme celui-ci de 1674 et basés tous plus ou moins sur le tableau L.V. 126. Dans ce contexte, on peut supposer que Claude a exécuté cet unique dessin didactique pour se souvenir des attributs des Muses, dont il avait peut-être oublié certains détails. Litt. R. 453, et dans l'Œil, juin 1961, 58.

55 DAVID REFUSANT DE BOIRE

Papier blanc, coloré en jaune, 252 × 361 mm. Plume, plusieurs nuances de lavis brun. Inscription en bas à gauche «disigne faict del quadro de principe Don Agustino / Claudio G. I.V.F. Roma» et en dessous de David «Davide al desert». Date: 1658.

Le groupe des figures dans ce superbe dessin correspond exactement à celui du tableau L.V. 145, peint en 1658 pour Agostino Chigi (aujourd'hui à Londres; les figures mesurent environ le double). Les rochers et les arbres de l'entourage sont également pris dans le tableau; mais ils ont été un peu modifiés afin de donner au dessin l'aspect d'une œuvre autonome. Ce dessin a été esquissé dans une rapide étude conservée à Rotterdam, les silhouettes des figures étant un peu plus grandes qu'ici; cette esquisse se trouve au verso d'un dessin préliminaire pour le tableau entier. De tous les dessin de figures de notre album, celui-ci est le plus riche, et contient le groupe le plus complexe; il est le seul à porter une inscription et, avec le nº 13, le seul sur fond coloré. J'en conclus qu'il doit être la copie du tableau terminé – dont il montre pour ainsi dire l'essence – et non pas, comme les autres – excepté le nº 13 – un modèle final pour les figures. L'inscription est ambigüe à cet égard. Le tableau est un des chefs-d'œuvre de Claude, exécuté pour un personnage aussi distingué que le cardinal-neveu. Voir aussi le nº 47. Litt. R. 345.

56 PAYSAGE

Plume, lavis brun, 215 × 313 mm. A travers la monture apparaissent confusément quelques lignes tracées au verso à la plume et au crayon; elle ne semblent pas former une composition. Date: environ 1645.

Ce splendide dessin doit être comparé au nº 46, dont la composition est très semblable, mais qui est exécuté au lavis pur. Les deux œuvres sont caractérisées par une structure claire, avec un premier plan, en bas à gauche, et une colline plus en arrière, à droite, nettement séparée du premier plan. Cette méthode de composition se rencontre souvent dans les années 40. La scène est constituée par quelques grandes formes avec des contrastes de lumière. A gauche, le regard passe directement des grands arbres sombres du premier plan au lac et aux montagnes dans le lointain. Le côté droit, clos en diagonale par la colline, montre la progression de trois zones allant de l'ombre à la lumière, avec des arbres, à l'intersection des zones, et des nuages en haut. Le premier plan et l'arrière plan forment contraste grâce à l'exécution à la plume et au lavis. L'exécution suggère une date peu avant le nº 46. La vue anticipe le tableau L.V. 172.

57 TIVOLI

Crayon noir, lavis brun intense, 210 × 312 mm. Inscription au verso en bas à droite, «CLAV / Ro» au crayon rouge. Date: début des années 40.

Le paysage des environs de Tivoli est une des sources d'inspiration favorites de Claude dans bien des dessins – dont les nᵒˢ 5, 40 et 41 de cet album – et dans un tableau réaliste de 1645 (L.V. 89). Ce dessin, un des plus beaux que nous connaissions, montre un édifice de Tivoli situé immédiatement au-dessus d'une cascade (ce bâtiment figure aussi dans le dessin nº 40).

L'unité artistique de l'œuvre est due autant à la composition qu'à l'exécution. Le lavis est appliqué sur des grandes surfaces transparentes d'une qualité presque abstraite et intensifé par endroits par des hachures au crayon. Comme pour le numéro précédent, l'œuvre se compose d'un premier plan avec un modèle décoratif de feuillage et de troncs à droite, et d'un plan intermédiaire plus léger à gauche, les deux zones étant séparées par une zone foncée en diagonale avec des plantes qui se détachent des rochers plus en arrière.

Le paraphe au verso est celui d'un album que Claude a composé lui-même et qui est décrit dans le notice nº 41. L'absence pour ce dessin d'un numéro au recto est surprenante (il y a quatre autres cas semblables: H. 11, 49, 185, T. 43). Quoi qu'il en soit, cette feuille est comparable à celles de la série numérotée par son style, ses dimensions et sa date. Au moins trois autres vues de Tivoli font partie de l'album numéroté (H. 8, 9, 20), mais celle-ci est la plus étroudissante.

58 PAYSAGE

Plume, lavis gris, une touche de lavis brun au premier plan, 212 × 317 mm. Date: environ 1645.

Cette page est un très bel exemple de composition dessinée en vue d'un tableau. L'étude de perspective et la richesse de la scène font en effet penser à une peinture. La plate-forme du premier plan n'est pas encore garnie de figures. La page qui nous occupe diffère à la fois des compositions plus schématiques où se répètent des thèmes antérieurs tel le nº 49 et des œuvres postérieures de caractère héroïque tel le nº 60; mais cette œuvre montre la richesse et la sereine inspiration de l'art de Claude pendant les années 40, dont le chef-d'œuvre devait être le Moulin de 1648 (L.V. 113). A la fois la technique souple et fouillée et le caractère plaisant du site choisi permettent de dater le dessin de 1645 ou de quelques années avant. Aucun tableau ne correspond exactement au dessin, mais le type de paysage, des motifs tels que les arbres aux contours compliqués et ces grands troncs desséchés à gauche, ainsi qu'au premier plan à droite, se retrouvent fréquemment dans des tableaux et des dessins de composition des années 40, du L.V. 53 au L.V. 113 (en particulier dans les dessins H. 203 verso, H. 255, 258).

59 PAYSAGE PASTORAL

Crayon noir, lavis brun pour le premier plan, lavis crème clair pour les arbres, 215 × 312 mm avec l'encadrement à la plume. Numéroté par Claude «34» en bas à droite; inscription en bas à gauche du revers «CLAV / R0» au crayon rouge. Date: environ 1640.

Cette page splendide, dessinée sur le motif en Campanie est caractérisée par le contraste que forment la zone ombragée du premier plan et le lointain légèrement indiqué au crayon, presque absorbé par la lumière et les arbres aériens et transparents. Le lavis est appliqué en larges coups de pinceau; le crayon est gras au premier plan, diffus dans le feuillage, plus délicat dans les lointains; le chiffre et le paraphe indiquent que le dessin a appartenu à un album décrit dans la notice n° 41. Un dessin du même style, mais avec une perspective plus limitée et d'une exécution moins travaillée est reproduit ici sous le n° 42.

60-61 PAYSAGE HEROIQUE

Plume, le premier plan au lavis brun foncé, le plan intermédiaire au lavis brun plus clair et gris, rehaussé au premier plan et dans l'arbre à droite. 221 × 327 mm avec l'encadrement. Près du coin inférieur droit peut-être une inscription illisible. Date: 1655/60.

L'album se termine par un chef-d'œuvre de la pleine maturité de Claude – époque où son inspiration est souvent heroïque. Ce dessin est l'ébauche avancée d'un tableau, bien que de grands motifs latéraux manquent encore à gauche. Le premier plan est exécuté au lavis intense et rehaussé, presque sans plume. Au-dessus, le paysage est limité par les nuages menaçants et les oiseaux. L'atmosphère pesante du dessin semble s'accorder avec un thème de caractère grave de l'Ancien Testament. Dans des dessins servant avant tout de mise en place, Claude a souvent omis les figures. Les deux hommes pourraient être Moïse et Josué allant sur le mont Sinaï, ou les deux messagers envoyés par Moïse à Cana (un dessin inédit de Claude, d'environ 1660, chez H. Calmann, montre un paysage avec les deux messagers portant le raisin),

mais les figures ne sont pas nettes; de plus, ces sujets ne sont ni traditionnels ni convenables pour un tableau. Les grandes œuvres bibliques des années 50 avec lesquelles ce dessin peut être comparé sont le Veau d'or L.V. 129, le Sermon sur la Montagne L.V. 138 (une composition semblable apparaît dans les dessins préliminaires de Haarlem T. 79 et de Chatsworth), la Mer Rouge (dessin à Windsor, Blunt 46) et David Refusant de Boire L.V. 145 (voir au n° 55), où l'on voit au premier plan deux guerriers montant sur une colline. La date du dessin peut d'ailleurs être même un peu postérieure, plus voisine de celle du n° 2.

Plusieurs pages de cet album portent au verso des esquisses et des décalques de Claude, mais seul celui-ci – le dernier de l'album – a pu être détaché de sa monture; il est reproduit sous le n° 61. Les nuages au centre correspondent à ceux du recto, pour lesquels ils sont probablement des études. Les deux personnages ne peuvent pas avoir de rapport avec une autre œuvre. Les quatre esquisses montrent différents aspects d'un coffret dont les panneaux intérieurs sont décorés dans trois cas par un lever du soleil sur un bord de mer (ceci exclut la possibilité qu'il s'agisse d'une tombe). Sur l'une des esquisses on ne voit qu'un seul paysage, flanqué de deux amours pour lesquels se trouvent trois études en bas. Il se peut que Claude ait dessiné un coffret destiné à son usage personnel. A sa mort, il y avait dans son atelier un coffret d'une main de haut, de deux mains de large et de quatre mains de long, plein de gravures et de dessins (R. 74); ce coffret avait donc environ 25 cm de haut et 1 m de long. M. Georges Wildenstein possède dans sa collection personnelle le plus long dessin de Claude qui est un bord de mer avec au centre l'eau, très soigneusement terminé, mesurant 180 × 860 mm et daté de 1666 (R. dans ZKG 1961, 172, repr. avec mesure erronée). Par sa composition et ses dimensions, ce dessin énigmatique aurait pu former un fronton idéal pour le coffret à dessins tel qu'il a été esquissé quelques années plus tôt sur la feuille de notre album reproduit sous le n° 61. Ainsi, une étude secondaire peut parfois apporter la solution d'un problème ou permet d'échafauder des hypothèses.

Liste des Planches

I

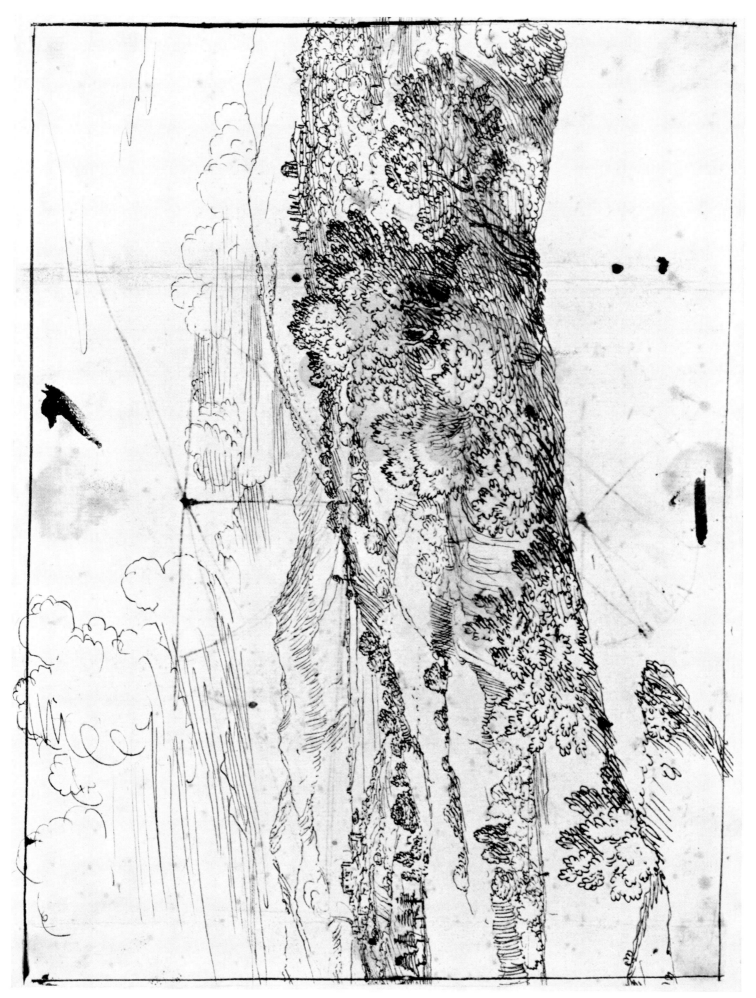

12

24

EVNVCO di CANDACE

28

29

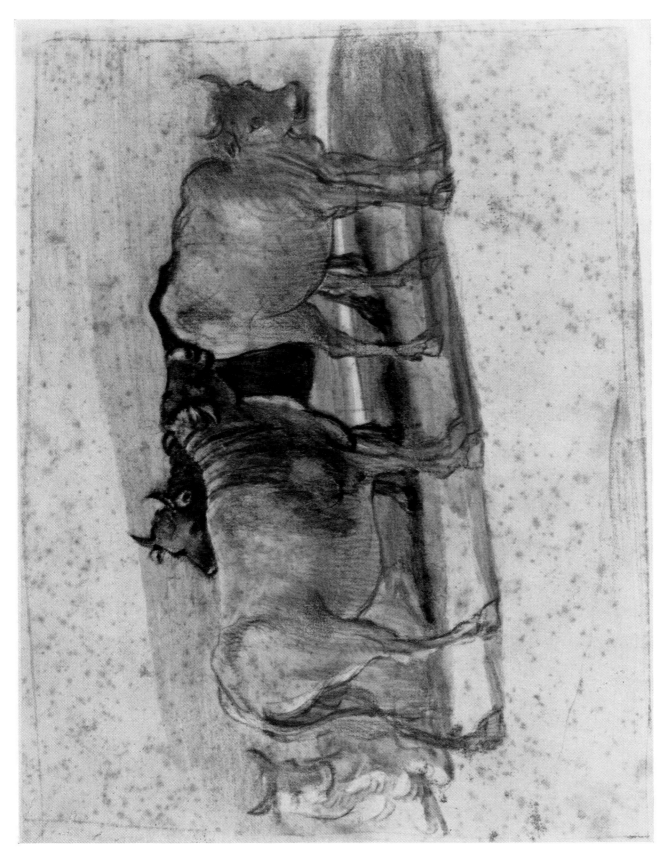

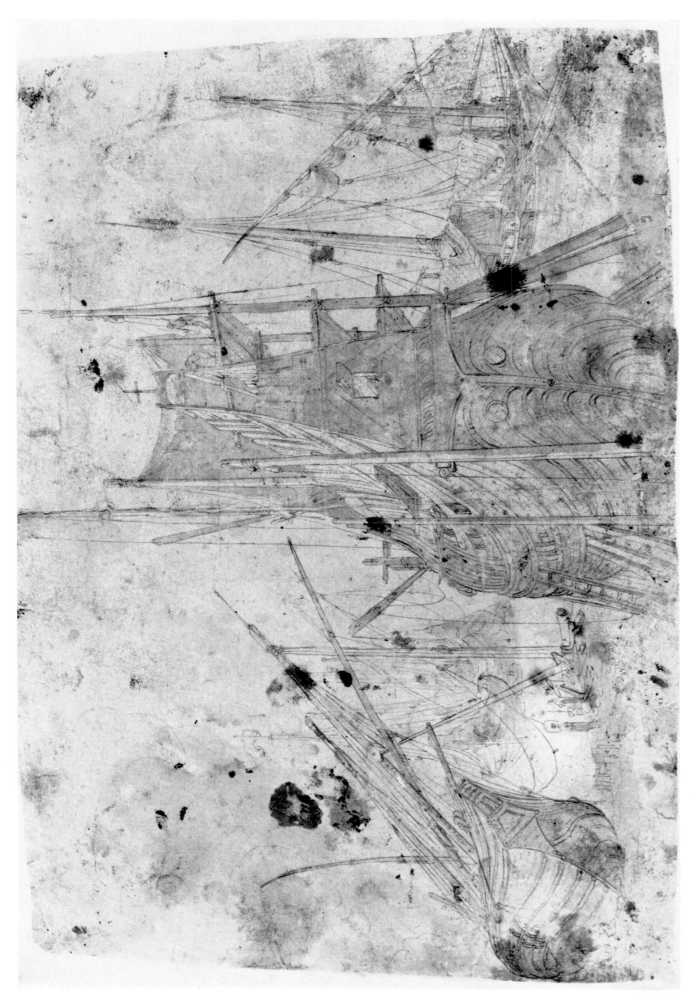

34

35

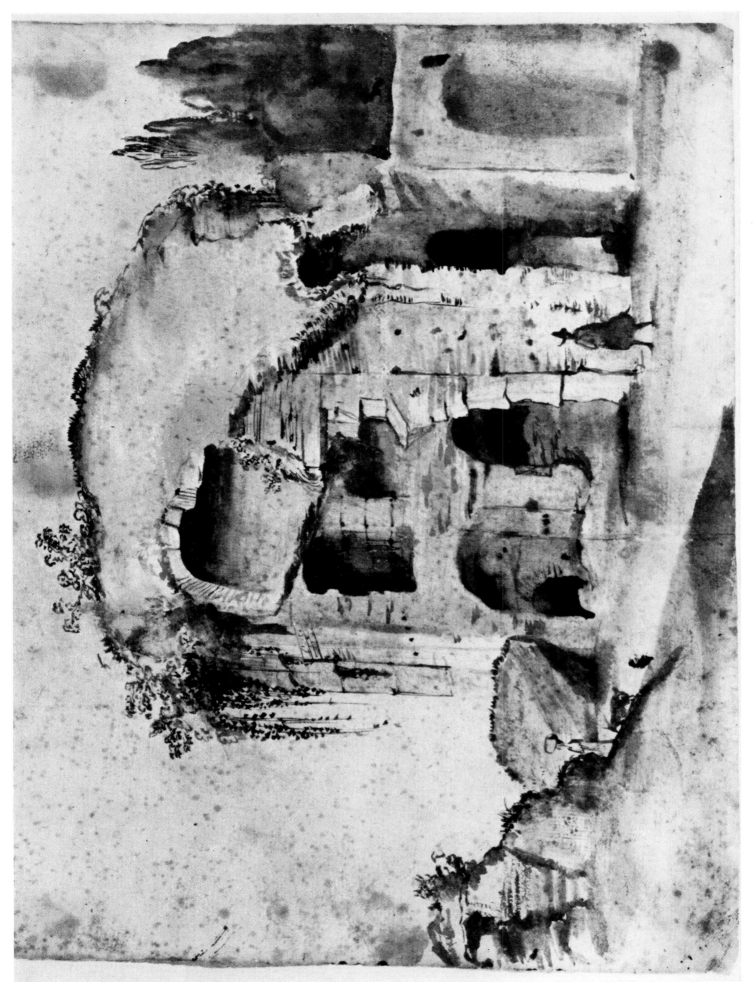

36

F. PRODIGO

37

38

44

45

48

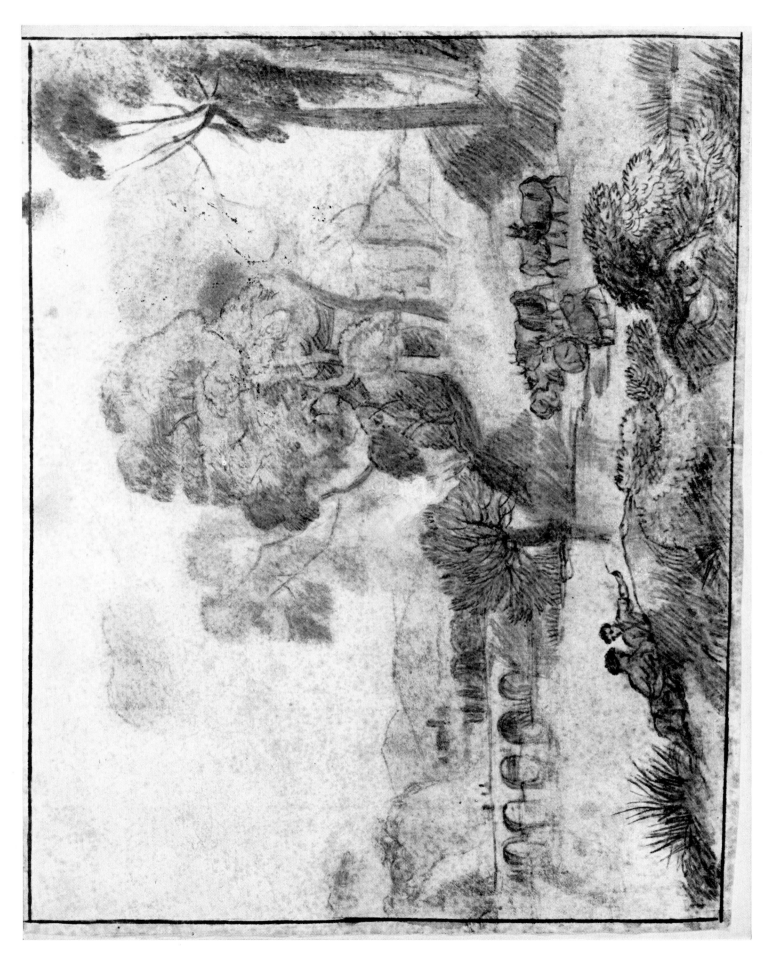

17

53

54

56

Printed in Switzerland